D1417915

# HISTOIRE DE MA SEXUALITÉ

ARTHUR DREYFUS

# HISTOIRE
# DE MA
# SEXUALITÉ

*roman*

GALLIMARD

« Et les rires bruyants qui avaient accompagné si longtemps, et, semble-t-il, dans toutes les classes sociales, la sexualité précoce des enfants, peu à peu se sont éteints. »

Michel FOUCAULT,
*Histoire de la sexualité*

Il y a quatre ans m'est venue l'idée d'écrire un livre sur l'histoire de ma sexualité, qui s'intitulerait *Histoire de ma sexualité*. Pendant plusieurs mois, j'ai compilé des notes sur un carnet, sur la sexualité en général, sur les souvenirs de nature sexuelle que j'avais accumulés jusqu'au début de l'adolescence (la fin de l'enfance). J'ai décidé de me limiter à cet espace-temps pour deux raisons :

— parce que l'histoire d'une sexualité commence aussitôt qu'elle se termine ;
— parce que l'enfant contenu dans l'adulte est autre que moi.

\*

À mesure que les notes s'amoncellent, je réalise, sidéré, que les souvenirs sont nombreux. Je croyais au départ rassembler deux ou trois scènes pittoresques. Les images déferlent en cascade, et la pêche à la mouche devient pêche au filet.

Après que les notes sont à peu près complètes, se déploie une période de plusieurs mois où je vais chercher, en vain, de nouveaux sujets de romans. Non seulement nouveaux, mais surtout : éloignés de moi.

Quelque chose me détourne de cette histoire-là, et je ne sais définir cette chose. Lorsqu'on écrit — à plus forte raison lorsqu'on commence d'écrire —, on s'impose de n'écrire que le nécessaire. Conformément aux clichés, on se rappelle que l'œuvre n'est valable qu'à condition de répondre à une *nécessité*.

Je fixe mon reflet. Je vois un jeune écrivain qui n'ose se définir comme tel, qui dit par pudeur qu'il « écrit des livres », et dont quelques journalistes parlent de temps à autre. Je vois le tombeau d'un enfant.

Je réalise que le métier d'écrire n'est pas l'écriture, mais le désamorçage. *Désamorcer* le sabotage des sujets qui comptent. Se battre contre soi-même, en agent double.

Poussé dans mes retranchements par mon petit ami — pas de meilleure manière de le dire —, je m'endors avec la mauvaise conscience de me lancer dans un projet égoïste, destiné à quelques amateurs d'homosexualité littéraire. Au matin, la sagesse me rappelle que la création ne se justifie pas.

Pour de bon, je prends la décision d'écrire l'histoire de ma sexualité.

Quelques semaines plus tard, Jeune Homme (mon ami le plus âgé), dont Cocteau appuyait les débuts au théâtre il y a soixante ans de cela (et qui peut invoquer une vieille connaissance en disant : « Il avait fait carrière dans le muet à Hollywood »), me conseille, sans que je lui aie fait part de mon intention, de ne pas « m'enfermer dans un sujet », au risque de réduire drastiquement « mon audience ». Il cite un dramaturge gay de ses amis, dont les pièces ne comportent que des personnages homosexuels. Jeune Homme s'indigne : « À croire que rien d'autre n'existe. » Au sortir du déjeuner, j'abandonne l'idée de consigner l'histoire de ma sexualité.

D'autres sujets de romans s'ébauchent tour à tour. Je suis prêt.

Prêt — mais au point mort. En train d'y réfléchir, encore. L'évocation de mon audience est une fausse route. Je prends conscience que, dans le récit en procès, l'idée du risque me rassure. *Liquide pré-séminal de l'écriture.*

Conçoit-on une bonne raison d'écrire ?

★

Cactus dit :

— Tu te livres beaucoup dans ce préambule.
— Mais je n'évoque aucun souvenir sexuel.
— Tu parles de ton rapport à l'écriture, donc de ton rapport à la vie.

★

1. Le premier souvenir, c'est celui qui me précède, et qui explose bien plus tard, au détour d'un porte-clés. Je suis dans la voiture avec ma mère qui me conduit au collège, nous longeons l'hôpital Édouard-Herriot, à Lyon (c'est le décor qui vient, ni beau ni laid, transparent comme un tag effacé; nuancier de couleurs ternes : gris, neige, sable, bleu très pâle, anthracite, coquille d'œuf, crème). Nous écoutons Fréquence Jazz, Rire et chansons, ou Nostalgie. Ondule entre mes doigts un cœur en inox pendu à une chaînette. Pour la Saint-Valentin, en vertu d'un montant minimum d'achat dans les boulangeries Paul, ma mère a reçu en cadeau ce porte-clés promotionnel, sur la face duquel est gravée la marque PAUL.

J'aime la sobriété de l'objet, comme le sens qu'il adopte au creux de mes mains. Je ne connais pas de Paul (mais conçois, en secret, le projet d'en rencontrer un sans délai pour lui faire don de cette amulette). On se donne trop de peine. À cet instant précis, le fétiche m'est retiré : « Tu ne peux pas garder ça, les gens penseraient que tu es amoureux d'un Paul. »

L'agglomération fait couler sa tiédeur durant quelques minutes supplémentaires lorsque tout à coup ma mère ajoute, comme si c'était la suite logique : « Paul c'est ton quatrième prénom ; après Arthur, Jean et Simon — Jean et Simon pour tes grands-pères ; Paul pour le prénom abandonné. Au dernier moment j'ai changé. À cause des initiales. *Paul Dreyfus* : on t'aurait chambré à l'école. »

À l'époque, je souris en dedans. Je suis surtout déçu pour mon porte-clés. J'embrasse ma mère, je claque la portière. Débute le cours de géographie. Quelques années plus tard, l'échange me revient ; mon sourire est plus franc.

Hormis d'elles-mêmes, les mères ne sont dupes de personne.

*Projet abandonné de premier chapitre*

Ces brasseries sont faites pour ça. J'ai dîné avec mon père. *Dîner avec son père.* L'expression figure en gras dans le dictionnaire des fils honnêtes. Parler de Maman, du travail, du voyage ; évoquer sans gêne les succès professionnels, qui sont autant de succès parentaux, puis avec un enthousiasme de conséquence l'argent encaissé (la richesse en France est encombrante partout sauf *là*). Attention aux impôts. On pose sur la table une carte bleue dorée. Retour en voiture de location, plongé dans cette espèce de silence endémique des habitacles où se trouvent père et fils réunis.

Dès qu'il pénètre dans mon appartement, qui lui ressemble si peu par ses ingrédients mais tant par son désordre, mon père se dévêt. L'instant d'après, on me demande d'éteindre la lumière. J'ai à nouveau huit ans.

Je respire l'odeur que dégage le corps de mon père, mélange d'haleine de dentifrice, du fond de sauce de son magret de canard, des vapeurs capiteuses d'un

16

cigare refroidi, du gaz continu que répand son système digestif pris par l'anxiété, et d'une cologne aux agrumes.

Au lit, je compose en frémissant le numéro d'un réseau gay par téléphone. Paris-IDF. Le timbre mâle du *bienvenue* qui m'accueille fait battre la poitrine. Derrière la porte de ma chambre, mon père émet un premier ronflement. Les tonalités du répondeur, tantôt misérables tantôt encombrées — toutes injectées d'urgence —, prennent mon sexe. M'accroche une voix plus jeune, et méchante comme la honte. Il faut bien vivre. La voix empoche mon adresse et démarre son scooter.

J'ai transmis le numéro de l'immeuble qui jouxte le mien (celui de Matelot, dont je garde en tête le digicode). Silencieusement, à la faveur du vrombissement de mon père — qui atteste son état inoffensif —, je passe de vieux vêtements, que les traces du désir ne pourront endommager.

À tâtons je quitte mon logis, poussant la porte d'entrée sans la clore. Mon cœur bat comme quand j'aime. Dans la rue : un vacillement fait homme s'engage dans ma direction. La voix a vingt-cinq ans. Elle est noire, et svelte. Deux réverbères grésillent. Me reviennent les collines sombres du *Roi Lion* envahies après le jour par une cohorte de prédateurs. Nous descendons à la cave. Noir sur noir.

À la lumière blafarde d'un smartphone, il dévoile son sexe reptilien, accoutumé à tirer son plaisir de celui qu'on lui procure. Pour entrer en matière sans faute médicale, j'engloutis ses testicules, fais circuler ma langue le long de cet interstice à émotion écrasé sous la pesanteur des bourses, qu'ensache le papier à cigarette du plus haut galbe des cuisses (où viennent se nicher à

17

quinze ans les vergetures du temps, quand il prend de l'avance).

Sa bite n'enfle pas. Le gland qui la leste pointe la poussière. Une main saisit fermement mes cheveux pour orienter la bouche. Je n'aime pas qu'on me tire les cheveux (j'ai peur de les perdre). Je dégaine une capote. Doublée d'un regard esclave que catalyse la contre-plongée, une sentence de justification escorte mon geste (probablement : « J'ai une copine »). Pas un bruit. J'applique l'anneau sur son sexe par-dessous. C'est souple comme une pâte. Les doigts sur mon crâne lâchent soudain prise. Ils chassent mon menton. J'insiste en léchant davantage la base de la verge. Trop tard : le dézippage de ma braguette résonne en fausse note. On n'abandonne rien moins pacifiquement qu'une jouissance. Ses yeux virent à l'antipathie. Il disparaît dans les escaliers. Je manque un polar dont la bande-annonce me raidit.

Nocturne : un homme rejoint l'armée des silhouettes qu'on ne connaît pas.

Retour tranquille à la maison. Je me branle, les doigts plaqués sur le museau, traquant les vestiges du delta où s'évanouissent tant de langues. La présence de mon père me rassure. Avoir évité de justesse la saleté. Dormir. Au matin, se poser une question, dont on sait par avance qu'elle n'appelle aucune forme de réponse : *comment en suis-je arrivé là ?*

**2.** Le sapin de François est presque nu. Sur ses branches, pendille un seul souvenir. Nous sortons de classe, je suis en CP dans une école privée catholique — c'est la bonne école du quartier —, il faut passer sous le préau pour rejoindre la cour de récréation. Je ne me rappelle aucune sensation, aucune phénoménologie, mais la structure du bâtiment (son volume, sa géographie) reste figée comme un destin.

Photo de classe. Ma maîtresse se nomme Isabelle Jeannot — *comme Jeannot lapin* : à l'époque c'est ce que je me dis — aujourd'hui j'ai oublié qui est ce Jeannot. Le cliché respire les années 1990. La fresque au mur, derrière les trois rangées d'élèves, ressemble à une toile de Gerhard Richter. Sur fond blanc, c'est une banderole non figurative constellée de traces rouges, bleues, jaunes, vertes, orange. Quelques fusains charpentent l'œuvre collective. La maîtresse porte le tailleur d'Ally McBeal. Une chaînette en or coule au-dehors de son chemisier. Je suis vêtu d'un pull rouge vif, d'un jean gris et de Converse rouges, avec le bout en caoutchouc blanc. Je suis extrêmement blond. Sur l'écran de mon téléphone, des années plus tard, j'agrandis l'image téléchargée. Je m'observe : on dirait que je demande pardon d'avoir grandi si vite.

Ça y est : je crois reconnaître François — à la faveur d'un col de chemise bien repassé, d'une mèche sur le côté ; futur ingénieur en informatique, miniature avocat fiscaliste. La mémoire se morcelle — sans prendre de l'ampleur, elle se fragmente en éclats plus petits : une maison aux alentours de Lyon d'où l'on aperçoit les platanes du jardin public, un chemin gravelé, une première console vidéo (Sega Saturn), la prise en compte de la virilité de mon ami.

Et sous le préau, seul sur la ligne de départ, ce souvenir d'une sortie de classe par temps bruineux où je retourne trois fois cette question : oui ou non mon bras sur son épaule ? — où le bras se pose en fin de compte, et que François, machinalement, passe le sien derrière ma nuque. Deux gamins clopinent vers le centre de la cour, où se dessine le terrain de basket.

Premier sentiment d'infini.

Je décide de renoncer à la construction par petits chapitres. Le livre adoptera la forme qui lui sied, tel qu'un corps malade apprend à vivre avec sa pituite. La bosse des bossus porte bonheur.

★

Impossibilité de dire l'enfance sans morcellement. Bouts de souvenirs qui s'additionnent, s'empilent, et s'effondrent comme un édifice de planchettes Kapla ; symphonie en un mouvement pour xylophone désaccordé.

★

Travesti : « Elle a cinquante ans, elle est plutôt moche, ça fait six ans qu'elle n'a pas vu la bite, j'en touche mot à un de mes amants, à qui je fais gratuit, qui apprécie les femmes de cet âge-là, et qui accepte d'aller la voir. Elle me répond *Tu m'as prise pour qui ?* Et là, tu vois, j'ai compris mon erreur : une femme de cinquante ans, ça veut un mec pour aller manger de la tapenade aux olives chez les copines le samedi soir. Même si elle est moche, même si elle n'a pas vu "la" bite depuis x années, elle veut *d'abord la tapenade.* »

★

Le phrasé d'une certaine couleur.

★

Glamour dit : « C'est drôle, on dirait que le cerveau embauche une monteuse qui découpe nos pellicules de souvenirs. Pour chaque événement de la vie, la monteuse prend une décision : "Ça je jette, ça je garde." On finit par se rappeler les choses inutiles, la matière d'un pull qui gratte, un bon point à l'école, alors qu'on oublie la mort de ses grands-parents ou un été entier en Bretagne. »

★

Ange me déconseille d'écrire une *Histoire de ma sexualité.* Il dit : « Le masque du roman est si commode. Attendez encore vingt ans avant de parler à la première personne. » Je demande pourquoi vingt ans. Il y a un silence. Ange ne trouve pas ses mots. Il cherche. Puis soudain, de sa voix sifflante, raffinée, incorruptible qui me rappelle Marlon Brando en Don Corleone : « Le *Je,* c'est arrogant. »

★

Me figurer mon incapacité à rendre compte de la densité du temps. Je ne sais pas étirer les lieux, les personnages, les moments. J'écris une succession d'images qui ensemble s'animent, comme au cinéma, mais pas comme en littérature.

★

Ange, quelques mois plus tard, complète son avertissement : « Lorsqu'on dit *Je*, il faut une grande clairvoyance pour ne pas effacer la vie des autres. Avec le temps, on apprend à libérer le monde de sa subjectivité de narrateur. »

★

Thé nocturne avec Astier qui raconte son enfance, les partouzes qu'il menait en cachette avec d'autres garçons, à même pas dix ans, dans le hangar du jardin. La découverte du pot aux roses par sa mère : l'apocalypse, etc. Réfléchissant de mon côté, je n'épingle rien d'aussi pittoresque. Je me décourage. Mes souvenirs sont ordinaires : une claque monumentale, deux ou trois jeux d'enfant curieux. Où puiser le roman ?

★

Si les photos de Fou d'enfance me touchent entre toutes, c'est que je m'y vois. Combien de fois me suis-je senti enfant dans la nature, perdu autour d'adultes qui ne comprenaient rien à la mienne, protégé par des garçons imaginaires ?

★

Matelot s'étonne : « Je connaissais les préservatifs pour femme, pour grandes tailles, sans latex... Le Brésil commercialise maintenant des *préservatifs pour enfants*. Tu savais ça ? »

★

Anaïs Nin reproche à son journal de la détourner de son *vrai destin* d'auteur de fiction (pour autant elle ne peut s'empêcher de le poursuivre). Elle finit par remplir deux journaux (l'un destiné aux faits réels, l'autre aux faits imaginaires). Elle écrit : « Si jamais je mourais et que les deux soient lus, lequel serait *moi* ? »

★

[*En forme d'introduction*]

En famille, comme chaque enfant, j'apprends que les hommes aiment les femmes (les femmes les hommes). À l'école, comme chaque élève, j'apprends qu'un État protège ses citoyens. Un jour, il m'apparaît que mon apprentissage du monde s'est fondé sur deux axiomes contredits presque instantanément. Puisque mon grand-père fut arrêté par des policiers français en 1943, ai-je le droit d'être amoureux d'un garçon ? L'équation est invalide (mais l'algèbre engagée).

★

— On peut aussi vouloir n'écrire un livre *que sur soi*.
— Pour quelle raison ?
— Pour protéger les autres.

★

3. À l'occasion d'une conversation sur les souvenirs familiaux, je pars à la recherche des images originelles de mon père; pour n'en trouver aucune. Au prix de sérieux efforts de concentration, et d'une inattention accrue à ce qui se passe autour de moi durant plusieurs jours, je rassemble quelques segments, imprécis comme un théâtre débutant :

— Une plage au Congo (pays de la mythologie paternelle). Au cours de ses études de gynécologie, mon père travaille deux ans à l'hôpital de Talangaï à Brazzaville, fait quasiment la connaissance du sculpteur Ousmane Sow, qui y séjourne, se baigne nu, sauve la vie d'une femme qui se noie. Sable et rivage composent une photographie autochrome : sa main caresse mes cheveux, mes joues, il y a une pirogue en bois, un marché aux poissons, l'odeur des poissons, une gueule de requin, l'autre d'espadon, le soleil sur ma peau; c'est tout.

— Ses reproches réitérés concernant ma manière d'écrire. Pendant longtemps, je ne pince pas le crayon entre le pouce et l'index, comme cela est la norme, mais en diagonale, entre le majeur et l'annulaire, ce qui a le don d'indisposer mon père au plus haut point : *Une chose nous différencie des hommes préhistoriques, c'est notre organe préhenseur. On ne tient pas un crayon comme ça mais* comme ça. Et : *On ne dit pas* cahiais *comme « du lait », mais* cahier *comme « la moitié ».*

— Ce magazine sur les animaux, au titre oublié. Chaque mois, une espèce starisée s'affiche en couverture : lièvre blanc, aigle royal, triton alpestre, puma du Costa Rica, grue cendrée... Je m'assieds à côté de mon père qui me lit le dossier complet sur la vedette en question, et finis de m'endormir en explorant les animaux moins importants du numéro.

Excepté ces lueurs, et la vie quotidienne, qui n'est qu'un vernis, rien. Malgré cela — malgré la distance extrême qui a toujours existé entre lui et moi (jusqu'au moment où j'écris ces lignes) — je réalise combien la mort de mon père m'obsède, comme si le drame était de voir disparaître ceux qu'on a échoué à rencontrer, de savoir par avance qu'on ne sera jamais consolé à l'idée d'avoir partagé l'essentiel.

L'enfance en état clos — objet mort qui ne faisande pas. Quand je regarde mon enfance, je fixe le temps qui passe depuis un référentiel plausible entre tous ; comme si c'était la seule période, le lieu total.

★

Troisième-République dit : « Orphée nous a prévenus. Regarder en arrière, c'est regarder la mort. » Je ne m'étais jamais figuré que l'idée de la mort pût prendre substance *derrière*.

★

Décision arrêtée de continuer ce texte coûte que coûte. Je n'ai plus le choix. Regardez comme il grandit : on dirait un homme.

★

— C'est très bruyant comme endroit.

— Il n'y a aucun bruit.

— Pardon... Ce doit être moi.

★

Quand je ne sais plus écrire, la première nécessité revient au sexe, comme si l'un était l'inverse de l'autre ; comme si c'était la même chose.

★

Le lecteur : « Je viens de finir votre livre, je pleurais encore il y a quelques minutes. »

L'auteur : « Merci... Ça me touche. »

Le lecteur : « Ce n'est pas vous. Cela m'attriste tellement de finir un livre que j'en pleure toujours. »

★

Le texte s'interrompt un mois. Il ne finit pas de m'effrayer. Sur le site de l'INA, un extrait d'une interview de Julien Green par Pierre Dumayet me redonne du cœur à l'ouvrage. Green explique, évoquant son autobiographie *Partir avant le jour*, qu'on n'a pas encore écrit de livre qui dise « toute l'enfance, en entier ». À voix haute je fais remarquer à Tendre que c'est exactement *mon projet*. Tendre, qui est écrivain, ajoute : « C'est notre projet à tous. »

★

Je termine un abécédaire sur Mozart pour l'Opéra de Montpellier, et l'envoie à ma mère. Elle me répond par mail qu'elle a *aimé*, mais exprime *une réserve* concernant les lettres F, P et X — trois lettres qui abordent plus spécifiquement ma sexualité, et notamment la réaction de mon père à la découverte de mon homosexualité. Le message de ma mère me réjouit étrangement.

★

Je fouille dans ma poche. J'y trouve un vieux bonbon et un soupir.

★

Traversant la place de la République encombrée par les travaux, au téléphone ma mère ajoute : « Rien n'est sacré. L'écriture n'est pas plus sacrée que le reste. Ce qui est sacré, c'est la vie, la maladie, la souffrance. Les gens qu'on aime sont plus sacrés que l'écriture. »

★

Il y a une chose terrifiante, c'est l'idée que ces visages que l'on croise, que l'on aime un instant dans le secret des nuées, si on ne leur adresse pas la parole — si on ne les suit pas dans la rue — si le hasard décide de ne pas nous soutenir — si on ne les attache pas à nos amarres au moyen d'une cordelette, même infime — l'idée que ces visages-là, avec tous les paysages qu'ils enveloppent, disparaîtront à jamais.

★

**4.** C'est la réminiscence la plus pittoresque, la plus évidemment psychanalytique. Il y a une cour d'école, qui n'est pas l'école principale : du CE1 au CM1, les élèves de Charles-de-Foucauld étudient dans un bâtiment qui devait être, jadis, l'hôtel particulier d'une grande famille lyonnaise. Le jardin frontal est devenu une cour de *récré*, avec des marelles dessinées à la craie et deux platanes enfoncés dans le bitume. Vient ensuite la bâtisse, qui ressemble à une vraie maison, et qui abrite les salles de classe. Derrière la maison est érigé un préau. Lorsqu'on pénètre dans la cour depuis la rue, les toilettes sont situées sur l'aile droite de l'édifice. On y accède en descendant quelques marches. Garçons et filles y sont déjà séparés.

Nous sommes en CE1. Je me rappelle un camarade nommé Clément, qui a les cheveux courts, presque ras. Une image se détache : dans la file de la cantine, je saisis sa main et la baise en disant *Je t'aime*. Il la retire de manière suffisamment abrupte pour que surnage aujourd'hui la mémoire d'un chagrin. À cet instant précis, nous sommes en face d'un mur de briques.

Des camarades attendent devant et derrière moi. Il fait beau. On nous servira une salade de betteraves coupées en dés. Je ne comprends pas pourquoi Clément ne veut pas que j'embrasse sa main.

C'est que plus tôt, la même année, au moins plusieurs fois, Clément et moi nous sommes donné rendez-vous dans les toilettes des garçons, derrière une porte à loquet partiellement incrustée de verre dépoli, afin d'examiner nos sexes. Le mot employé est *zizi* (à l'époque les enfants ne disaient pas *bite* ; pas ceux que je connaissais). Le rituel ne s'annonçait pas sexuel en tant que tel, c'était un geste de défiance, comme on frotte sa première allumette en écoutant bruire la prohibition.

Me revient pourtant un cœur qui se hâte — tapage sublime et terrifiant, que je reconquerrai. L'enjeu d'alors était de tomber les pantalons, d'observer nos organes courts et raides (avec ce bout foncé dont la couleur m'effarouchait) ; puis, délicatement, de déposer un baiser sur l'extrémité en question. Là encore, c'était davantage un concours de témérité ; à celui qui oserait satisfaire la requête la plus dégoûtante — tel voyou avait, racontait-on, avalé tout cru trois lombrics vivants. Nos lèvres avançaient chaque fois plus avant, à grand renfort de *T'es cap'* et de *T'es pas cap'*. Je me souviens que je me trouvais du côté le plus proche de l'entrée — Clément, de celui des pissotières. Je me souviens qu'un jour la maîtresse a frappé à la porte.

Souvenir d'un cadavre de pie, sur le bord d'une route de campagne. Les plumes de l'oiseau sont couvertes de peinture bleue, verte, et jaune. Un minuscule trou rose, duquel suinte une gelée de couleur semblable, semble palpiter, respirer exactement sous la jointure de l'aile gauche. La gelée a le goût d'une plante.

*

« Je ne voulais pas parler des chats mais cela me vient tout seul. Je dois pourtant me tenir à l'abri des animaux, du genre humain, des idées générales : c'est un livre pornographique que j'écris, il n'y faut que des bites. »

(Tony Duvert, Journal d'un innocent)

*

Glamour revient de Bordeaux : « En province, la logique de cacher les choses reste très prégnante. »

Passé la nuit contre un garçon très beau, dont la peau et l'haleine respiraient le soldat de plomb.

*

*Réussir sa peine.*

*

Le père de famille louche sur l'entrecôte des voisins. Il interrompt son épouse à plusieurs reprises : « Regarde, elle est énorme — Non mais tu as vu la taille de cette pièce ? » Il *dévisage* un morceau de viande. Lorsque, quelques instants plus tard, la chair a disparu, le gras fixé autour de l'os dessine un sexe rouge.

*

Quelle que puisse être l'obscurité de mes nuits, quelle que puisse être la mélancolie après l'amour, l'envie de ne pas avoir été celui que l'on fut, quelle que soit la difficulté d'exister, comme la peur de n'être plus, quelle que soit la couleur des taches sur les draps au matin, il me semble, lorsque j'écoute Mama Cass Elliot chanter *New World Coming*, que tout ne pourra qu'aller mieux.

*

Ne plus savoir comment on ne se connaît pas.

★

Jeune Homme : « Il faut dire aux gens qu'ils sont fous. Ça les touche. »

★

Bus 26. Un petit garçon sanglote dans les bras de sa mère, qui porte le boubou. Elle est au téléphone. Il pleure de mieux en mieux. Tout à coup, la mère secoue son fils en hurlant si fort (dans une langue africaine) que deux passagers sursautent. Elle reprend le fil de sa conversation. Le petit a cessé de chougner. Il caresse tendrement le poignet de sa mère, comme assommé de n'avoir plus de larmes.

★

Je ne sais si mon livre est voyeuriste, exhibitionniste, nombriliste, ou n'importe lequel des mots qui accusent la vérité.

★

Tu sembles dur comme le fer, mais flexible, comme le fil de fer.

★

Durant plusieurs années, la vision de mon grand-père en déportation me permet de retarder la jouissance ; puis un jour, ça ne fonctionne plus.

★

5. Elle frappe à la porte et s'en va nous quérir plus loin. Nous avons le temps de quitter en hâte la cabine — sans ordonner notre intimité — et, par conséquent, la présence d'esprit de se ruer vers les pissotières. La maîtresse nous trouve à cet instant. *Je vous cherche depuis cinq minutes, la récréation est terminée.* Mon cœur galope. Remontant précipitamment la fermeture Éclair de ma braguette, j'y encastre l'extrémité du prépuce. La douleur n'est pas immédiate. Un instinct de survie m'autorise à regagner la salle de classe. Clément a déjà disparu.

Derrière mon pupitre, petit à petit, le supplice s'amorce. Je lève plusieurs fois le doigt durant la leçon : la maîtresse m'ignore (coutumière de mes questions biscornues). Une heure plus tard, le visage laiteux, je décide de me lever, et boitille jusqu'à son bureau pour marmotter : « Je me suis coincé le zizi dans la braguette. » La maîtresse ne comprend pas pourquoi je ne l'en ai pas informée plus tôt.

S'ensuivent quelques heures parmi les plus déplaisantes de ma vie débutante. D'abord, l'infirmière, qui n'ose *rien toucher*. Étalé sur un matelas, recherchant pour me distraire quelque monstre au plafond, j'explique que la chose est arrivée en *descendant* ma braguette pour *aller faire pipi*. Selon quelle logique cette tromperie me procure-t-elle le sentiment d'un alibi ?

À cause de mon mensonge, ma mère, dans un premier temps, tractera dans le mauvais sens la braguette, barricadant davantage le derme entre ses cannelures de laiton. L'urgentiste, ensuite, reproduira le mauvais geste (avec davantage de vigueur). Il faudra attendre que j'annonce, comme une inattention, comme étourdi par la clarté de l'espace hospitalier, m'être *trompé* lors de la recension des faits, pour qu'un coup franc, dirigé enfin dans la bonne direction, me délivre du vêtement.

Soir. Durant plusieurs heures, j'ai revécu ma prime enfance ; prisonnier d'un corps manœuvré par les adultes, ma pudeur à l'étiage. Dans le bain moussant qui ravine la pulpe des doigts, je ne souffre pas, malgré les éraflures. Je mélange plusieurs shampoings dans un petit seau. Le médecin m'a prié de ne pas *jouer avec mon zizi* pendant quelques jours. Il a réitéré sa demande en présence de ma mère. Par deux fois, j'ai opiné d'un air distrait. Par deux fois, je l'ai détesté.

« Tu auras plus rapidement fait le tour du sexe que le tour du couple, dit le mage. Explore le couple, c'est plus profond. »

★

Tout ce que je n'écris pas, je l'écris.

★

Elle me demande si j'ai *quelque chose contre la douleur* — et sa question résonne comme Avez-vous quelque chose *contre Marcel, contre Jeannette?* Je ne saisis pas qu'elle pense à un antalgique, je réponds avec évidence : « Bien sûr que j'ai quelque chose contre la douleur. Qui n'a rien contre elle? »

★

Des souvenirs d'une page.

★

*Do not speak evil of the commonplace. It takes centuries to get there* [Il ne faut pas médire des lieux communs. On met des siècles pour en faire un], me protège Oscar Wilde.

★

Ne pas écrire contre quelque chose, contre quelqu'un — cela me semblerait une mauvaise raison d'écrire. *Une mauvaise raison d'écrire ?*

★

Un jeune homme en cravate me salue. Je ne le reconnais pas et j'ai honte de dire, trois jours plus tard, que j'ai oublié son visage. Je me suis concentré plusieurs secondes debout devant lui, pour n'entrevoir que le fond du puits, dans la zone irrécupérable du souvenir.

★

Tu as un regard.

★

Le jeune homme sans visage me demande si je suis *écrivain*. Il a entendu parler de moi à Sciences-Po, où il a étudié le droit. Il est avocat dans un cabinet d'affaires. Je pense à mon ami Rouge, avocat et écrivain, et à *Les Yeux sans visage*, un film grand spectacle de Franju. Le jeune homme m'avoue qu'il écrit *aussi*, je dis avouer parce que

38

cela résonne comme un aveu, comme s'il avait perdu *lui aussi* un enfant, et qu'il savait qu'en dépit de nos parcours sans correspondances, j'étais à même de le comprendre.

★

La chanson dit : « *This can't be love because I feel so well.* »

★

Je pressens qu'il appartient à la catégorie des hommes et des femmes qui écrivent des textes sur leur famille s'arrêtant aux portes closes ; je m'en veux — non de pressentir un genre, mais de mépriser par avance un auteur, parce qu'écrire *un peu*, ou *à côté*, c'est déjà bien, c'est déjà mieux que de ne pas écrire du tout.

★

Inaptitude à aimer quelqu'un qui ne sache pas écrire, qui ne sourie pas à cet attrait-là, dont les yeux ne baigneraient pas dans un bassin de mots, nombreux pas forcément, rares pas davantage, mais qui s'entrechoquent et coulent. Besoin de cette finesse de l'esprit qui n'est pas l'intelligence, qui peut exister sous l'écriture commune, ou mauvaise, celle qui confond deux langues, qui n'est donc pas le langage, mais une disposition essentielle au démembrement du monde.

★

6. Les chambres se trouvent à l'étage, la mienne au fond du couloir, sur la gauche en provenance des escaliers en bas desquels on se sera déchaussé. Je cherche obstinément une forme de souvenir graphique, l'image d'une image. La porte de ma chambre semble ouverte la plupart du temps. Je creuse. Les murs sont bleu ciel ; je retrouve deux placards coulissants aux glissières de piètre qualité, qui déraillent dès qu'un jouet ou qu'un vêtement dépasse. Le contenu des placards appartient davantage à la maison qu'à ma chambre. Leurs portes sont peintes d'un bleu identique.

Un meuble évident me revient : une immense (comment dire « immense dans le passé » ?) bibliothèque de bois rouge, qui s'élève sur quatre ou cinq étages. Avec pour public les gamins qui passent à la maison, je ne manque pas une occasion d'escalader la bibliothèque par son flanc, m'agrippant aux rayonnages comme à une échelle. Au sommet, ayant contemplé le panorama — et sans considération pour les lattes que ma mère remplace en s'arrachant les cheveux —, je me laisse chuter sur le lit. Le vol plané dure des heures. Je me crois doué en escalade. J'ai par la suite adoré ce sport où l'homme accomplit une chose d'animal.

La maison est plantée au milieu d'un jardin anciennement conçu par un *paysagiste-rocailleur*. De toutes les fenêtres (sauf des miennes) on aperçoit de grands cèdres, bien plus hauts que la maison, qui jettent sur elle une ombre noble et inquiétante. Une après-midi de gros vent, alors que ma nourrice me lit *Tintin au Congo*, un cèdre est déraciné par une petite tempête. L'arbre s'écroule sur le mur qui nous sépare des voisins, sans heurter aucun bâtiment. Le choc, qui a dû provoquer un bruit formidable, ne me revient pas. Plusieurs semaines seront nécessaires pour débiter l'arbre couché. Je ne sais ce qu'on fera de toutes ces bûches : le bois devient vivant une fois mort.

Le crépi de la maison est gris. S'y frotter la peau érafle.

La nuit, lorsque mes parents reçoivent des amis à dîner, j'aime entendre le vacarme des adultes réunis, qui semblent converser dans une langue étrangère. Je m'endors la porte à moitié ouverte, sous ma couette étroite — à l'époque, je n'éprouve aucun penchant pour les lits vastes (tout le contraire : on s'y perd).

Lecture d'un écrivain actuel, mauvais texte sur l'enfance et l'adolescence : scrutation de nombril et publication de vers de mirliton au seul titre que sa jeunesse les a produits. Revient la question qui effarouche. Pourquoi, étant donné un même sujet, une matière également riche, certains auteurs échouent-ils à *universaliser*?

*

Travesti s'interroge : « Le chardon c'est quoi? C'est un artichaut sauvage. »

*

Ce que je racontais sous forme de fiction dans mon premier roman (l'épisode de la braguette), voici que j'arrive à le dire comme un récit. Y a-t-il un sens à respecter? Lequel?

*

— Qu'est-ce que tu lis?
— Un livre sur quelqu'un qui a un cancer.
— Mince...

★

Évoquer la honte de l'égotisme, la crainte de ne pas *universaliser*, c'est déjà se prémunir d'un tel écueil. Je crois que Gide a dit quelque chose comme : *Il n'est de problème littéraire que la littérature ne sache résoudre.* Il me semble qu'en écrivant j'obéis à une loi m'autorisant à commettre toutes les erreurs du monde (d'écriture, d'ego, etc.) si je les dissèque, si je les dis.

★

Idée nouvelle de filmer en secret le sexe furtif. Jouissance de la caméra cachée (de la supercherie). Projection d'une image de moi qui n'est plus moi, ou pas encore. Ce personnage me ressemble — je m'y tromperais.

★

Tu me manques au sang.

★

Salopard : « En primaire, deux faux jumeaux, un garçon et une fille, avaient montré leur sexe à une partie des élèves. La maîtresse l'a su et a convoqué tout le monde dans son bureau. Elle a dit *Les exhibitionnistes à*

43

*droite, les voyeurs à gauche.* Personne n'a bougé parce qu'on ne connaissait pas ces mots. »

★

— Tu as peur de vieillir ?
— Ce n'est pas que j'en ai peur — c'est que ça ne m'intéresse pas.

★

Un homme dans le bus, en pleurs : « Heureusement mon père avait converti en fonds obligataires 97 % de ses actifs. » Calembour le Vieux, à qui je raconte cette image, s'interroge et me fait rire : « Alors pourquoi pleure-t-il ? »

★

Peur de l'accumulation des épisodes. Souvenir de Pierre Herbart et de son *Âge d'or*, où l'effet d'encombrement ne vient pas, bien qu'on passe de garçon en garçon, de village en village.

★

Ma sœur, qui m'a demandé *sur quoi* j'écrivais, et à qui j'ai répondu la vérité, m'envoie un SMS :

Tu devrais réfléchir à 2 fois pour ton livre, tu risques de détruire la famille. Que tu inventes des choses oui, mais les mélanger

44

avec la réalité, les gens vont le croire et c'est humiliant. Si tu tiens à Papa et Maman tu devrais faire attention.

Je relis la phrase sur la destruction de la famille, fasciné par le pouvoir qu'on accorde aux livres, comme si les livres pouvaient agir sur la vie, comme si tout n'était pas écrit.

★

**7.** En 1643, le sud de la France est contaminé par une peste fulgurante. On ne se donne plus l'accolade. On tousse en silence. Échevins et notables lyonnais se promettent de rendre chaque année hommage à la Vierge Marie (à partir de l'année suivante) si l'épidémie s'enraye — ce qui se produit. La date choisie est le 8 septembre, jour de la fête de la nativité de la Vierge. Bien plus tard, un matin de 1852, à cause d'une crue de la Saône, la célébration en question est repoussée de deux mois, au 8 décembre, date opportune de la fête de l'Immaculée Conception. Le jour venu, comme le veut la coutume, les habitants de Lyon illuminent leurs façades en hommage à Marie, mais un orage inonde la ville. On s'apprête à repousser de nouveau la cérémonie lorsque, tout à coup, le ciel se dégage. La Vierge s'est lassée des reports. Le 8 décembre sera la date aux deux dates — et, pour la peine, on allumera chaque an le double de bougies (sans se soucier du temps qu'il fait).

Nous habitons le quartier résidentiel de Montchat (dont j'aurais préféré qu'il se nomme Montlézard). Je n'ai pas de voisins, pas d'amis dans la rue ; j'ignore ce qu'est une *vie de quartier*. La maison semble une épave de luxe, loin de l'école, loin du collège, loin du lycée, loin du parc de la Tête-d'Or, loin des magasins, loin des cinémas. Ma vie se divise entre l'univers hyperurbain du *centre*, et l'îlot végétal de notre foyer. On accède au quartier après avoir traversé l'hôpital Édouard-Herriot, plus un tas d'avenues couleur ville où personne ne chemine. Mes camarades de classe résident dans l'île peuplée; ils traversent la rue pour *aller jouer* chez les uns chez les autres; on les charge d'acheter des baguettes pas trop cuites et de dire bonjour à la dame.

Seulement, le 8 décembre, mes parents, leurs enfants et moi (on s'isole comme on peut) nous rendons dans le *centre*. Nous traversons une ville aux balcons agrémentés de lampions, de photophores, de guirlandes clignotantes enveloppées dans le fer forgé de leurs balustrades. L'estampe est gentille. C'est la seule fois de l'année où les Lyonnais produisent collectivement quelque chose (sans pour autant sortir de chez eux). Le service culturel de la Mairie progresse : l'habillage lumineux du théâtre des Célestins, ou de l'Hôtel de Ville, vaut le coup d'œil. J'ai droit à une gaufre, une crêpe, ou une barbe à papa. Vers 22 heures, nous regagnons Montchat en voiture, muets, heureux, escortés par le concerto pour violon n° 3 de Mozart. C'est la Fête des Lumières.

Ce que j'écris maintenant ne peut ressembler à ce que j'aurais écrit hier. Vérité corrompue des écrivains qui, tranquilles, se réfugient derrière la géomancie du hasard, s'endormant sans avoir produit la part prévue, nantis de la certitude que lorsqu'il viendra, le *moment* ne pourra qu'être idéal; parce que sans cela, il n'y aurait rien eu.

*

Tendresse absolue du regard éveillé sur celui qui sommeille, lèvre retroussée et paupières en silence. Fantasme de la possession intacte; l'autre non dénué de psyché, mais incapable d'en faire usage — déchiffrement grossier des émotions du fond (qui semblent monter à la surface).

*

Tu ne tireras point exagérément parti de la chimie.

48

Persan : « Est-ce que les hommes aimeraient autant les femmes si elles avaient une plus grosse bite qu'eux ? »

★

Mode est captivé par mon projet de livre (comme s'il y prenait part) : « La psychanalyse repose sur deux principes fondateurs, a priori, c'est que les parents ne connaissent pas la sexualité de leurs enfants, et vice versa. J'ai souvent eu envie d'écrire sur ma sexualité, de m'en inspirer dans un film, mais je ne pouvais pas, j'avais trop peur que ma mère tombe dessus. J'admire les créateurs qui sautent ce pas-là, parce qu'ils acceptent de détruire quelque chose. Je ne sais pas quoi, mais quelque chose. »

★

« Il avait dormi dans son petit lit dans la chambre des parents et se réveilla, éventuellement à cause de la montée de la fièvre l'après-midi, peut-être vers cinq heures. [...] Il fut alors témoin d'un *coïtus a tergo* trois fois répété, put voir l'organe génital de la mère comme le membre du père, et comprit le processus ainsi que sa signification. » Ce que l'Homme aux loups voit, dit Freud, n'est ni un membre, ni un coït, ni même un acte, mais la figuration excluante de sa propre origine — comme si l'origine, c'était l'impossibilité d'être là (et l'obligation simultanée de s'en faire le témoin).

Mode : « J'ai tout de même réalisé un court-métrage inspiré d'un plan cul. On m'a proposé de l'éditer dans le coffret de mes documentaires. J'ai dit non, parce que ma mère allait recevoir le coffret — et que le public de ce film, c'était le monde entier *sauf ma mère.* »

★

Le souvenir se délite ; j'ai besoin de lui confectionner des succédanés, en écrivant, ou d'accumuler des preuves, en photographiant.

★

Ange dit : « C'est peut-être ce qui restera intact jusqu'à la fin, le regard. Sur mon lit de mort, il y aura toujours cette appréhension-là. »

★

Lorsque je mets au propre un brouillon de poème, de chanson, m'empressant par réflexe d'aller au bout du vers, je m'interroge sur cette frénésie. Conclusion : dans l'éventualité d'une mort subite, je veux avoir terminé *au moins cela* ; qu'on me trouve sur une fin ronde.

★

La mère à sa fille : « On ne touche pas aux chiens qu'on ne connaît pas, ils sont méchants. »

★

J'explique à Tendre qu'un couple de plusieurs années qui se rompt, c'est le même drame que celui de perdre un manuscrit. On ne cesse de *l'*avoir en tête, on ne pense qu'à *lui*, on sait qu'on ne pourra jamais faire aussi bien, et qu'il faudra tout de même récrire. Tendre ne partage pas mon avis : « Si c'était le même drame, personne ne se séparerait. »

★

**8.** C'est une forme d'épiphanie, image trouble mais palpable qui me guide longtemps, à compter de l'instant où je la saisis. J'ai sept ans. J'accompagne ma mère à La Part-Dieu, centre commercial immanquable du samedi lyonnais qui, jusqu'à sa restauration récente, procurait l'impression de faire du shopping dans une très large grotte. Les films du cinéma UGC sont en version française; traiteurs chinois et boulangeries PAUL côtoient les entrées des magasins FNAC, Decathlon, Princesse tam.tam et H&M. Je reviendrai à ce décor.

Nous déambulons. J'observe avec une forme d'évidence les boutiques qui rendent les adultes adultes, et les gens occupés. Dans le magasin de jouets, tout me paraît cher (mon étalon-or est le prix d'un Dragibus). Privé de temps à perdre entre les rayons multicolores (j'ai probablement un cours de judo ou de solfège), ma mère hâte le pas. D'escalator en escalator, je me laisse voguer lorsque soudain, au dernier étage du centre commercial, le regard plongeant sur les galeries en contrebas, une idée explose en moi : ce n'est pas grave si je meurs.

Le raisonnement se poursuit de la sorte : je n'ai pas choisi d'être en vie, mon destin ne s'exprime *par moi* que dans la mesure où corps et esprit se sont avantageusement rencontrés. Si je saute par-dessus la barrière, que je tombe et que je m'écrase devant l'enseigne de lingerie du rez-de-chaussée, je ne serai plus conscient ni d'être vivant ni d'être mort. En revanche, *quelque part dans le monde*, un autre enfant, un autre « bébé » se verra investi d'un destin inédit, dont il sera par définition incapable d'établir le noyau (l'origine de son énergie intérieure). Dans l'isolement de sa caboche, il découvrira, il aimera, il souffrira et éprouvera des peines et des plaisirs comparables en intensité aux miens. En d'autres termes : ce sera *un peu moi*.

J'ignore ce qu'est la métempsycose, mais me persuade que les chairs s'additionnent en masse pour n'en former qu'une, que la vie se divise moins en entités individuelles qu'elle ne se répand au-dessus de nous. Si je meurs, un autre enfant éprouvera l'impression souveraine de vivre sa vie ; quand c'est la mienne par contumace qu'il développera. Son pouvoir d'exister m'appartiendra d'autant plus qu'il lui semblera un et exclusif. À l'époque, je ne formule pas la chose en ces termes ; mais le concept me rassure tant et tant qu'avant de m'endormir, des années durant, je récite solennellement une prière au démiurge qui l'a ébauché.

Quand je cherche un souvenir, je cherche un lieu. Le lieu est la toile écrue du souvenir (mémoire sans décor : possible ; décor sans mémoire : impossible).

*

Cette femme, paysanne bourgeoise, la soixantaine, entourée de ses bêtes et de son sang, enfants et petits-enfants, dévouée à sa cour, régnant en maîtresse sur une tablée de charcuterie, tendre comme peut l'être un pré en décembre, dévoilant ingénument sa phobie *numéro un* — celle de la peau de pêche. « Je ne peux pas toucher une pêche : ça vous met mal à l'aise, ça provoque des frissons. » C'est pour elle un axiome, comme si cela devait s'appliquer au monde entier, comme si l'on n'était pas en mesure de comprendre que ce qui l'effraie, c'est moins le fruit, ou sa peau, ou la pêche, que l'émoi qu'il suscite en réunissant chair et volupté avec la brutalité d'une divulgation.

*

Ange : « Je commence toujours mes romans par soixante-dix pages ennuyeuses, pour décourager les cons. »

★

Mon logiciel de traitement de texte propose le mot « thermocollant » à la place de « Montherlant ».

★

Fou d'enfance explique à ses parents, qui lui reprochent de ramener tel ou tel garçon dans *le cabanon* : « Ce n'est pas mon histoire. C'est notre histoire, et vous devez l'accepter. »

★

J'informe Ange, qui vient de perdre un être cher, qu'il figure dans le présent récit. Ange semble touché. Une heure plus tard, dans la rue, il me demande d'un air faussement détaché s'il est donc bien « un personnage de mon roman », si je lui ai réservé un *petit supplément d'éternité* : on dirait que cela compte pour lui.

★

Suivre un beau garçon dans la rue, recueillir le soleil dispersé par les platanes exactement sur mon visage, pour être beau si le garçon se retourne.

★

Je découvre un jour que mon père a copié l'annonce insolite de mon répondeur.

★

— Ton absence est photogénique.
— Je prends mon absence très à cœur.

★

## LA MÈRE

*Tu ne sais pas ce que c'est d'être mère. Tu ne sais pas ce que c'est que de sentir la vie. Tu ne sais pas la douleur de le voir prendre le bus. Bus 63, arrêt « Viticulture », quinze minutes de voiture le matin. Tu ne sais pas ce que je porte. Tu ne sais pas qu'à chaque fois qu'il ne rentre pas, le vent souffle contre moi, que les voiles tremblent et se gonflent dans les virages, que mon visage n'est plus mon visage, que je pleure en secret, que je ne pense qu'à lui. Tu ne sais pas que quoi qu'il fasse il est tout pour moi. Que je l'aime d'amour, et que le regard qu'il pose sur sa mère, son regard effronté et perdu, me transperce mille fois comme le tien. Tu ne sais pas que je pourrais peindre le ciel pour lui faire plaisir, me déchirer le ventre sans anesthésie, m'arracher les boyaux avec les molaires, si c'était pour lui faire du bien, tu ne peux pas comprendre que, dès qu'il part, on le déporte à Auschwitz, dans un goulag, qu'il brûle dans le tunnel du Mont-Blanc, qu'il a le sida, un cancer et des mauvaises fréquentations ; qu'on le drogue, qu'on le torture, qu'on l'écartèle. Et tout cela, à nouveau, chaque matin.*

★

9. Ma mère organise traditionnellement des jeux de piste, des jeux d'agilité, et des jeux costumés pour mes goûters d'anniversaire. La veille de mes six ans, elle doit quitter Lyon à l'improviste. C'est mon oncle, que je vois peu, que j'aime bien, à qui il revient d'animer la fête. À l'école, j'ai distribué les convocations avec parcimonie. Trois garçons, cinq filles — dont une rouquine, nouvelle à l'école, qui porte un prénom rare — se présentent à l'heure dite.

Les jeux sont prêts. Il y a une échelle couchée à l'horizontale sur la pelouse, qu'il faut franchir de barreau en barreau (avec dans la bouche une cuiller, et un œuf dans la cuiller). Il y a une piscine gonflable où flotte une coupelle en plastique (les balles de ping-pong doivent y atterrir). Il y a des sacs à linge pour la course en sac, plusieurs boîtes de maquillage, des sarbacanes avec leurs réserves de munitions, quinze masques d'animaux en carton et des cordes à sauter.

Je mène la kermesse avec la fierté d'un propriétaire. Rompu aux épreuves qui n'ont pas changé depuis des années, j'en remporte la plupart, et partage glorieusement mes gains (oursons en guimauve, figurines aux membres adhésifs à catapulter sur les vitres, yoyos phosphorescents). Ce faisant, je perçois soudain une froideur humide dans le creux du cou : c'est la rouquine qui y dépose un baiser. Plus loin, mon oncle me sourit d'un œil complice.

Un peu plus tard, après le roulé à la confiture et les gobelets plastifiés découpés en pétales, mon oncle improvise : il propose une partie de cache-cache. Nous courons immédiatement dans toutes les directions, sans savoir qui cherchera qui. Mon premier réflexe — le platane — s'avère peu judicieux : deux gamins s'y sont déjà repliés. Je fonce vers le local à outils (où mon père passe une grande partie de ses dimanches à chercher un tournevis cruciforme). Devant le cabanon apparaît à cet instant mon oncle, accompagné de la rouquine qu'il propulse à l'intérieur. Toujours souriant, il m'invite à l'y rejoindre. Je m'exécute : derrière moi la serrure fait un tour.

Malgré nos hurlements, la rouquine et moi restons enfermés plus d'une heure dans le local dépourvu de lumière. Nous devisons sur l'inspecteur Gadget, et la timidité des girafes. Lorsque mon oncle nous délivre, il oppose à mon hébétude un nouveau regard complice, viril, comme pour dire : *T'en as profité j'espère ?*

Ton SMS de tout à l'heure, ta réponse encore vierge de ma réponse : trésor qui brûle dans ma poche.

★

Persan : « J'ai toujours été très grand de taille, en plus d'être différent. Pas *folle*, mais raffiné. Depuis que j'ai six ans, chaque fois que je passe devant la mosquée en sortant de la gare, j'entends les vieux musulmans qui répètent *Ash-Shaytan, Ash-Shaytan*... Ça veut dire "le diable". Personnellement je m'en fous, mais tu te rends compte : dire ça à un gosse de six ans... À cet âge ils voyaient quoi en moi? Du coup, comme à la maison on parlait français et que de mon côté j'ai complètement rejeté cette part de mes origines, je suis le seul Rebeu de ma cité qui ne parle pas arabe. J'ai envie d'apprendre maintenant, alors que je m'en vais. Je connais au moins le mot *Ash-Shaytan*. C'est un bon début, non? »

★

— Qu'avez-vous été prêt à faire par amour?
— Aimer.

*

Tout ce qu'on projette dans un visage photographié (ce regard figé par la contemplation du regardeur, ces lèvres en noir et blanc, cette peau immobile). Bientôt le visage parlera (se démystifiera sans qu'on l'y contraigne); alors la photographie deviendra une preuve de son existence avant nous — avant que l'*on sache.*

*

Ici, il faut mentionner un voyage au Laos en famille : j'ai vingt-deux ans, il y a le silence absolu de l'Asie du Sud-Est, la couleur verte en tous points, tel salon de massage le soir de notre arrivée à Vientiane. En fait de salon, il s'agit d'une large hutte de bambous, cloisonnée à l'intérieur par d'autres rangées du même bois. Chacun rencontre son masseur — ou sa masseuse. J'hérite d'un jeune homme d'une vingtaine d'années. Je m'étends sans bruit sous le ventilateur qui ronronne. Sans érotisme particulier, les pressions liminaires provoquent un plaisir de corps, et je prends conscience, tout à coup, en une fraction de seconde, que je traverse malgré moi, malgré le jeune homme, malgré le hasard de nos sexualités et de nos dispositions respectives, un moment sexuel. La naïveté dont j'ai fait preuve jusqu'alors me sidère : aveuglé par le contour d'une prestation, je n'avais pas imaginé tirer parti érotique — quand bien même imaginaire — de ce corps-à-corps.

60

Dès cette prise de conscience là, de même qu'il est impossible de fixer un texte dans un alphabet connu sans en déchiffrer les mots, tout ne pourra plus être *que* sexuel ; délibérément sexuel. Libéré avant les autres par mon masseur, les épaules encore chancelantes de ses doigts, je compile furieusement l'intégralité de mes souvenirs sexuels initiaux au dos d'un prospectus local, comme si l'ordre importait peu — comme s'il fallait d'abord tout vomir, dans la marée des souvenirs, pour penser un jour leur agencement.

★

Travesti m'enseigne les couleurs du sexe : « Il y a des couleurs qui ne marchent pas. Par exemple, le bleu ou le vert. Le vert c'est beaucoup trop spirituel. Si je mets des chaussures vertes, les mecs me demandent de me changer — sans ça ils sont capables de foutre le camp. En revanche l'effet Stendhal, ça paie toujours : rouge plus noir, pas d'erreur. Le blanc très froid genre armoire Billy Ikea, super sexuel : des bottes blanches jusque-là, ça fait tout de suite pute. Le violet, le rose aussi — ah ça oui le rose, le rose, le rose... (*Une pause.*) Tout ce qui brille ça fonctionne — doré, argent : il faut du soleil dans la sexualité. (*Une pause.*) Le marron ne marche pas du tout mais alors *pas du tout*. (*Une pause.*) Sauf en léopard. Marron léopard, oui ! De toute manière, tout ce qui rappelle l'animal, c'est fatal. Mais attention : quand je dis *animal* je pense *fauve*. Le gris souris ne marche pas du tout. »

★

Carioca a créé une exposition à partir de photographies de forêts tropicales traitées sur Photoshop. L'image est scindée en miroir, et des couleurs disséminées viennent donner le sentiment d'un motif *pop art* (avec le piqué du numérique). Carioca examine l'un de ses clichés avant d'ajouter, avec son accent brésilien : « Je pense que ça ne peut trop plaire aux gays. La symétrie, même du végétal, ça rappelle le vagin. »

★

La mère de Glamour à son fils : « Sous ton influence, je commence à regarder les hommes dans la rue. »

★

Tendre cite une phrase de Michaux : « La jeunesse, c'est quand on ne sait pas ce qui va arriver », et cette phrase résonne comme un énoncé de dissertation auquel je ne saurais répondre.

★

**10.** Ce sont ces dizaines d'autocollants accumulés sur la planche en formica rouge de mon bureau, éraflés par le plaisir de gratter les couches, icônes de cartoons, figures de Bugs Bunny, des Tortues Ninja, d'Albert Einstein; logos des marques de surf et de snowboard qui fascinent, avec leur foule de représentations adolescentes.

C'est percevoir l'odeur du dîner et descendre manger ce qu'il y a.

C'est avoir l'impression de plonger dans un océan quand on se coule dans le lit des parents, parce qu'il est plus grand.

C'est ne pas aimer dormir, parce qu'on ne sait pas qu'on vit quand on dort.

C'est mélanger la fin de son jus d'orange à la fin du lait des céréales.

C'est n'avoir pas de musique fétiche.

C'est ne pas être bouleversé par tel souvenir jaillissant au débotté.

C'est boire un liquide de couleur vive.

C'est avoir la peau très douce (en particulier la peau du sexe).

C'est la terre sous les ongles.

C'est avoir le droit, à certaines occasions, de goûter aux choses prohibées : tremper son doigt dans le verre de porto, se coucher après minuit, tenir, sur les genoux d'un adulte, le volant de la voiture qui avance au pas, le long d'une route de campagne.

C'est avoir moins de douze ans, moins de seize ans, et moins de dix-huit ans à la fois.

C'est discuter avec des enfants de cire devant le monde qui part en fumée.

Caoutchouc se souvient : « Il m'envoie un message le jour de mon anniversaire, on avait rompu depuis une semaine et il m'écrit : *Si tu ne m'avais pas quitté je t'aurais offert un voyage à Florence.* Je l'ai appelé en pleurant pour lui dire que j'allais lui casser la gueule, et il m'a répondu très flegmatiquement que je pouvais essayer, qu'il ferait une main courante. Il était très calme. En revanche, quand la semaine suivante j'ai décommandé notre plan à trois, ça hurlait de rage dans le combiné. Il était humilié. (*Une pause.*) C'était quelqu'un qui jouissait littéralement de faire souffrir les autres. Je suis resté avec lui par curiosité psy. Je voulais voir si vraiment il pouvait ne ressentir aucun affect. »

★

Se concentrer sur la lumière.

★

Empathie dit : « Une photographie n'est pas intime, pas personnelle. La véritable intimité, c'est d'être proche de quelqu'un. Au-delà de la barrière sociale. On devrait prendre des photos des gens qu'on aime de très près. »

*

Il est des femmes qui promènent leur enfant comme on exhibe son seul rapport sexuel. Je relis cette pensée. Je m'en veux. Elle dégage quelque chose de misogyne. Je demande son avis à Calembour le Jeune. Ma phrase lui fait penser à la phrase d'un personnage de Philip Roth, épuisé par tous « *ces gens qui portent leur inconscient en bandoulière* ». Je la garde.

*

Tu n'es pas une personne. Tu es un moment.

*

« Il me cita un jour ce passage d'un conte oriental où l'un des personnages soutient que les garçons devraient se laisser toucher la main par qui le leur demande *car après tout, une main ça ne s'use pas.* »

(Patrick Mauriès, Soirs de Paris)

*

Titres :

— *Le Bonheur dilué*
— *Embrasser un stratus*
— *Les Garçons chronophages*
— *Les Odeurs de Julien*

★

Le surmoi du monde fut longtemps symbolique, ou bien dérobé. Il se trouve pour la première fois déchiffré. Internet raconte par nature ce que l'humain n'est pas en société. Il y a un chiffre : la pornographie occupe un tiers du Web.

★

*2004* Lorsque je reçois ma caméra de très bonne qualité, je pense aux garçons que je vais fixer pour toujours. Je pense surtout à Roux, qui me hante. Me revient une soirée, lui devant mon objectif, chantant la mélodie de la publicité pour la *Vegemite* (une pâte à tartiner australienne au goût de vomi). Je me rappelle avoir voulu revoir une énième fois la bande, sur mon lit d'enfant lors d'un week-end à Lyon, et réaliser que je venais d'écraser presque entièrement sa séquence avec un test d'image — plan fixe sur le massif de géraniums devant la maison.

★

La personnalité se précise.

★

Tel garçon mannequin, qui a cette façon simple et gentille d'être joli, d'être poli, et qui, pour garder bonne conscience, pour rassurer ses parents, *étudie* la biologie à l'université : « À part les cytoplasmes, j'ai tout oublié. »

★

Comme les rêves qui s'effacent au moment où l'on ouvre les yeux si le stylo n'est pas à portée de main, ces idées qui éclosent pour disparaître au même instant, ne creusant le sable que de leurs semelles de frustration.

★

**11.** Mon cœur bat pour une fille. Elle s'appelle Camélia, elle est brune (*comme les fleurs*, dit-elle), et elle sent bon. L'école chrétienne m'a dispensé de catéchèse. Aurais-je mieux étudié la Bible, peut-être les doléances de Camélia m'auraient-elles fait réagir. Ignorant la leçon apostolique, j'accepte pendant des mois de pécher par amour. Depuis le jour où j'ai proposé à Camélia d'être *mon amoureuse*, et où elle a répondu *d'accord* (avec une condition suspensive : *si tu me donnes 10 francs par jour*), je vole quotidiennement dans le porte-monnaie de mes parents.

Le butin se trouve dans le *tiroir du haut* de la cuisine (je peux l'écrire, il a changé de place). Mes parents y déchargent leur petite monnaie, ce qui permet d'acheter en dernière instance de l'eau gazeuse, de la farine, des œufs, et des bonbons clandestins. Depuis Camélia, mon père s'étonne de plus en plus fréquemment du peu d'argent contenu dans cette bourse (*Il s'évapore*) — autant de secondes où je plonge les yeux dans mes épinards.

Les pièces de 10 francs sont bicolores, cerclées d'or comme la tête des rois : avec celles de 20 francs, elles incarnent la valeur. Chaque matin, dans la voiture, je vais serein à l'école, la main dans la poche tâtant son jeton d'amour. Devant la salle de classe, le rituel se reproduit infatigablement. *Est-ce que tu m'aimes encore?* est la question que je pose à Camélia, qui tend la paume sans mot dire. J'y dépose la pièce de 10 francs, et Camélia répond : *Oui — encore*. J'en ai pour mon argent. Ce qui m'étonne a posteriori, c'est l'exposition publique de ce troc devant les amis de Camélia, garçons et filles, sans que nul ne s'indigne. Leur a-t-on inculqué que c'était cela, l'idée du mariage?

Ayant feint de confondre le G et le X chez l'*ophtalmo*, j'ai droit à des lunettes rondes et vertes. Frère Machin (c'est son nom), qui arbore toujours la même tache d'œuf sur un polo rose boutonné au col, me postillonne : « Tu vas faire craquer toutes les gonzesses avec ça. » Je n'aurai pas le temps d'évaluer sa prophétie : frère Machin est passionné d'astronomie; et fait cours onze heures par semaine sur la trajectoire des planètes. L'année scolaire s'achève sous peu : mes parents m'inscrivent dans une école qui m'enseignera le présent de l'indicatif — et provoquera le garnissage inopiné du porte-monnaie du *tiroir du haut*.

Il se confie à un ami dans la rue : « Sa famille était aristocrate, ils étaient richissimes, ils avaient fait fortune dans le lin au XIVᵉ siècle. C'est la plus belle fille que j'aie jamais croisée. Je veux dire, plus belle que toutes les filles que j'ai pu croiser depuis ma naissance. »

★

Deux amoureux rejoignant le sommeil de concert, c'est l'amour qui s'endort.

★

Journal du 2 mai 1999

*On va avec Maman à l'audition chez M. Henry pour la pièce* Dans la peau d'un singe. *Elle a tenu à m'accompagner. Au début j'ai peur (studio délabré — en fait ce type est plutôt cultivé, mais complètement fauché). Ça parle d'un jeune juif d'Allemagne de l'Est qui se cache dans la peau d'un singe pour échapper aux nazis. 1 h 30 de monologue sur*

71

*scène : ça me tente beaucoup, on doit me recontacter. Ce matin, conversation avec la prof de français. Elle me trouve brouillon dans mes prises de notes.* Dans quelle mesure le voyage de Victor Hugo dans « Demain dès l'aube » est-il métaphorique ? *L'après-midi, on va au cirque Gruss. Je pleure au début, ému par les mauvais chevaux. Magnifique et bel acrobate.*

★

Matelot dit : « La province est un endroit où vivent tous réunis les candidats des jeux télévisés. »

★

Salopard : « En petite maternelle, j'ai fait un anulingus à un garçon. C'était avec deux amis, Thomas et Inès — Inès était un garçon, c'est un prénom maghrébin —, il y avait un renfoncement dans l'espace de jeux, nous avions tiré un banc devant le renfoncement, et là, nous nous embrassions mutuellement le sexe et l'anus. »

Moi : « Pourquoi tu me dis uniquement *J'ai fait un anulingus*, alors que vous vous embrassiez le sexe aussi ? »

Salopard : « C'est le plus marquant, non ? »

★

« C'est en rencontrant Thibaud que j'ai compris ce qui me plaisait chez les garçons. J'aimais leur absence d'émotion, leur certitude qu'ils ne recelaient aucun secret. Pour moi, il y avait un mystère masculin comme pour d'autres il existe un mystère féminin. Le mystère masculin, c'était une tour aux murs froids à l'intérieur desquels j'imaginais des coffres. C'étaient des coffres fermés que personne n'avait jamais pensé à ouvrir. Des coffres à l'intérieur desquels se seraient trouvées des émotions en miniature, des contradictions non lues, des rêves jamais pensés. »

(Mathieu Simonet, *Les Corps fermés*)

★

Quand tu te sens entouré, je me sens entouré.

★

Une crêperie. Un couple d'une cinquantaine d'années. La serveuse sert l'apéritif. Ils la remercient. Elle s'éclipse. Silence entre les époux. La femme boit du bout des lèvres une gorgée de soda. Nouveau silence, plus long. Son mari finit par prendre la parole : « Qu'est-ce que t'as ? C'est pas un bon Schweppes ? »

★

La phrase qui fait lever la tête.

★

**12.** Dans la chambre de ma grand-mère se trouve une réserve de parutions des années 1970, entreposées là depuis. J'extrais une revue de la pile, qui promet en couverture des révélations sur *le vrai milieu de la prostitution*. Les pages ne sont plus blanches, elles se détachent de la reliure centrale. La poularde est servie. On me convoque. Je commence de feuilleter.

Ça y est : mon regard se pose sur le long mot *prostitution*. Ce n'est pas un mot d'enfant. C'est le mot d'un monde que je pressens, mais que je ne connais pas. Sous le titre de la rubrique, d'épais blocs de texte comprennent les termes *bois*, *Boulogne*, *femmes*, *clients*, *discrétion*. Au verso de la page se profile une photographie. Je tourne la page.

Mes yeux se noient dans un tirage en noir et blanc mangé par le temps. On y voit des arbres la nuit et, au fond, une silhouette de femme adossée à un tronc. La femme est vêtue d'un trench-coat sans ceinture qui révèle au sommet des jambes, lorsqu'on se rapproche du papier, un triangle très noir à la pigmentation homogène. Dans la salle à manger, on m'appelle de nouveau.

Je fixe l'image, le triangle, la forêt, comme pour en conserver des fractions. Deux réminiscences s'enchevêtrent. La première me précède : c'est un autre triangle, celui de ma mère qui sort de la salle de bains pour aller se vêtir, et passe devant mes dessins animés (la télévision est installée dans la chambre *des parents*). La seconde est un souvenir d'avance, celui de mon père hébété, découvrant les images pornographiques dont je me suis abreuvé à quinze ans, et qui dit : « Certes, à mon époque on s'échangeait sous le manteau des photos de filles à poil, mais c'étaient des feuillets chiffonnés en noir et blanc ; on voyait tout au plus un petit triangle de fourrure, et puis c'est tout. »

La peau de la volaille croustille, la sauce brûle la langue si l'on se précipite. Dans la poche arrière de mon jean, un relief me rattache au monde vrai : j'ai déchiré la photographie, je l'ai pliée en quatre ; je l'ai rangée comme un trésor — moins d'icône, que de substance. Deux jours plus tard, ma mère s'irrite de trouver, une fois encore, au milieu du linge propre, mille confettis de papier bouilli.

Le genre de garçon à s'essuyer approximativement les fesses pour ne pas trop y toucher.

★

Une SDF à l'haleine lourde et à la voix traînante s'approche de moi dans le métro : « T'es beau. Je t'aimmmme. Je t'aimmmme. T'as un beau cul, t'as une belle chatte. J'veux être ta mère. » Les gens nous observent sans broncher. Je n'ose la repousser franchement, elle finit par s'approcher, jusqu'à m'embrasser par surprise. Le soir, j'ai un peu honte de me savonner deux fois dans la douche.

★

— Dieu merci, l'expression « hors norme » n'a pas encore de connotation péjorative.
— Ça ne va pas durer.

★

Et moins (si affinités).

★

Jeune Homme : « Je me souviens, très jeune, d'avoir été interloqué par l'absence de *petit robinet* sur les statues de femmes dans les jardins du Ranelagh. Pendant plusieurs jours, j'ai coincé mon sexe entre mes jambes pour le faire disparaître : je croyais que c'était une excroissance, une anomalie. Plus tard, une cousine un peu vicieuse m'a expliqué la différence. »

★

En dépit de mes efforts extrêmes, la moindre ligne de tel manuscrit que m'a donné à lire un ami me pèse, pèse tout court, colle à la page et s'enfonce dans des sables mouvants. Pas une idée ne vit au-delà des mots. Le texte m'étrangle. Ce n'est pas de l'encre : c'est du plomb.

★

En un instant, il m'apparaît singulier que le caractère perpétuellement inédit des images du monde ne nous frappe pas davantage. L'immense majorité de ce que nous voyons, percevons, observons, nous ne l'avons jamais vu, perçu, observé auparavant (et pourtant nous le regardons sans broncher).

★

La colère grossissait en elle comme un chagrin.

77

\*

Ils la regardent grandir, prendre davantage de place au fil des ans, changer de chambre, sortir le soir, coûter plus cher; elle provoque de l'inquiétude, du manque, mais en vacances tout le monde s'y retrouve. Ils en sont fiers, en parlent à leurs amis, ou à qui leur demande des nouvelles, elle fait partie de la vie avec le reste des choses. Leur sexualité, c'est l'enfant qu'ils n'ont pas eu.

\*

Paraissant fiers d'être en vie comme on serait fier d'avoir un nez au milieu de la figure, et une oreille de chaque côté.

\*

Am : « Je comprends pourquoi tu aimes Clément Rosset. *Le Réel et son double*, c'est ta vie. Tu mens en permanence. Tu ne vis que dans un double. »

\*

**13.** Partout en France, en dehors de France, à l'école comme à la ville, je fais le poirier. C'est mon spectacle. Je ne sais pas marcher sur les mains ; il s'agit d'un poirier facile : crâne calé sur le sol, équilibre approximatif. Le judo me réussit peu mais, dans les vestiaires, mes pieds deviennent blancs, tandis que le carrelage s'écrase à l'envers contre mon occiput. Le public s'enthousiasme.

Longtemps, il m'est inconcevable de n'être pas sportif : je veux être du côté du corps. J'aime grimper, sauter, m'accrocher, glisser. Avec les années, découvrant la liturgie du sport, je n'en retiendrai que la foi. Tout commence par les arts martiaux qu'on me fait pratiquer : je n'en tire ni plaisir ni déplaisir. Le judo invoque son album sensoriel : l'odeur poudreuse et la matière raide du kimono (qui semble moins orner l'anatomie que la dissimuler), la fraîcheur sèche du tatami (sur lequel il faut enchaîner d'incessantes roulades sans qu'on sache pourquoi), une compétition régionale dans un immense hall, le prénom de la dame de l'accueil — France — qui m'intrigue : comment peut-on porter le nom d'un pays ?

Notre professeur idolâtre David Douillet. Dans mon souvenir — si les tirages ne se superposent pas — il lui ressemble. C'est un homme d'une trentaine d'années, les épaules rectangulaires, les cheveux en brosse, noirs comme sa ceinture, avec l'air de croire au sport comme en une divinité. Jamais fantaisiste, il rappelle fréquemment à ses élèves de se faire couper les ongles afin de ne pas endommager le tatami.

Un mercredi après-midi, lors d'un combat au sol, mes doigts griffent le tapis sacré. De près, on discerne quatre stries claires. Le maître s'approche, enjoint à mon adversaire de regagner sa place. Il m'expédie au milieu du dojo, s'accroupit derrière moi en me saisissant le bras gauche. Dans la continuité du geste, il écrase mes propres ongles sur ma propre joue, les faisant glisser graduellement de haut en bas. Quatre stries roses s'inscrivent en écho dans la chair. Je rejoins en silence les autres enfants, assis à la japonaise sur leurs talons de témoins aphones.

La leçon d'autorité indigne mes parents : ma mère hésite à porter plainte. À table on répète que mon professeur est *psychiatrique*, on désinfecte les éraflures, on me désinscrit du club de judo, on me coupe les ongles.

Salopard m'envoie un poème que je lui aurais inspiré. Il voulait écrire un sonnet, n'a pu composer qu'un quatrain, et s'en tient rigueur. Je dis : « Il n'y a pas de quoi. »

*Je lui ai mis deux doigts dans l'anus*
*Un doigt d'anis et un doigt de Suze*
*Je lui ai mis deux doigts de Suze*
*Un doigt d'anis et deux doigts dans l'anus*

★

Téhéran : « Je crois que j'ai fait l'ENA pour que les gens disent *Il est énarque* avant de dire *Il est homosexuel*. »

★

Peur perpétuelle des structures, des programmes, de l'organisation des lendemains (de tout ce qui se programme) — *la claustrophobie appliquée au temps*.

*

Des siècles plus tard, je reçois ce message d'Am au milieu de la nuit : « Est-ce que tu connaissais le jeune homme qui était dans le métro un soir et qui nous a suivis presque jusqu'à la maison? On s'était étonnés de son comportement. Il avait l'air intéressé... L'avais-tu déjà connu avant? »

*

Un jour, écrire le livre de toutes les histoires avortées, dire, au travers d'un personnage, comme il est difficile de renoncer aux différents modes de la réalité, à tous ces romans projetés dans des visages qu'on n'aura pas le temps d'écrire.

*

Débordant de fatigue et dans le vide du corps, ce regard posé au milieu de moi, sur mon sexe au sortir de la douche; blafard, lisse, épuisé, étendu par le rabâchage, souple comme une guimauve; convoquant subitement cette image : à mon pubis se trouve clouée la verge d'un mort.

*

Il m'a fait très mal (pourtant il était très beau).

*

82

Le réflexe d'en vouloir à la clé qu'on cherche au fond de son sac (à la route qui dure), comme si la clé *ne gagnait rien* à ne pas être attrapée (la route, à être longue), comme si elles nous faisaient (la clé, la route) à tous perdre du temps.

*

Journal du 6 mai 2012

*Sidéré par le faux anticonformisme de certains gays, où les styles se rallient dans leur pseudo-décadence, où les coupes de cheveux, les moustaches et les excentricités capillaires renvoient inlassablement à un même emprunt. J'en viens à détester ceux qui, souhaitant être différents, finissent par se reproduire comme des bouteilles vides sur un tapis d'usine. Au-delà de la banalité, il y a cette arrogance débile du branché qui croit ne ressembler à personne. Ou bien, au contraire, qui souhaite ressembler à une certaine caste, pour* être *dans le coup. Je ne supporte pas l'idée d'être « dans le coup ». Peut-être, me dis-je, parce que je n'ai jamais su appartenir à* ce coup ; *peut-être parce que je suis jaloux, jaloux et tout aussi bête.*

*

Raconter l'histoire de ce peuple qui en conquiert un autre — avec force violences — mais qui, au lieu de l'exterminer, choisit d'assassiner ses émotions. Le peuple conquis continue de vivre, entre les mêmes murs, au sein des mêmes villes, de se divertir de la même manière, sans plus rien éprouver. À développer. Titre : *Le Géno-cide des sentiments.*

★

Bonne nuit. Je t'endors.

★

14. Il y a un pédophile dans le quartier. Sa moustache ressemble à un buisson. L'homme n'a pas cinquante ans ; il porte toujours mise semblable : maillot de peau taché près du col, gilet gris en laine tressée, pantalon de flanelle élimé aux genoux, baskets Nike dépourvues de lacets. De temps à autre, sur le chemin de l'école, ou dans le sens contraire, nous le voyons errer, toujours sur les mêmes trottoirs (autour de la maison). Ma mère suppute qu'il vient de *sortir du Vinatier*, l'hôpital psychiatrique situé à quelques pas de chez nous. Le pédophile fixe continuellement un point loin devant ; on dirait qu'il ne sait pas où il va.

Je ne sais ce qu'est un *pédophile* (hormis la nécessité de s'en tenir à distance). J'imagine que le mot est un synonyme de *fou*, ou de ces *voleurs d'enfants* dont on m'a parlé si souvent durant mes jeunes années, pour me rappeler de *bien tenir la main*. N'empruntant pas encore seul le métro, et n'ayant aucun ami dans le quartier, il est rare que je sorte non accompagné de la maison. Pourtant mon père aime l'eau gazeuse. Il ne peut s'en passer. Un soir qu'il découvre avec dépit le réfrigérateur vide de

Perrier, on me dépêche à l'*épicerie d'en face* pour acheter deux bouteilles. Traversant le jardin, j'ai déjà sur la langue le goût des bananes Tagada qui seront ajoutées à la liste de courses en guise de commission.

Parvenu devant l'épicerie, c'est le coup de sang. De l'autre côté de la vitrine, à la caisse, le pédophile règle une bouteille de vin en plastique. Empêché par deux injonctions contradictoires, je me fige. L'instant d'après, le pédophile quittant l'épicerie trouve un mannequin de cire sur la chaussée. Il me regarde, regarde derrière lui, s'approche et me demande d'une voix qui zézaie : « Tu aimes les gerbilles ? » En moins d'une minute nous traversons la rue, il me fait entrer dans son immeuble, prendre l'ascenseur, pour déboucher sur un couloir tapissé de moquette orange. Il cherche ses clés un long moment. Nous pénétrons alors dans un appartement pestilentiel, envahi par des milliers de gerbilles qui sautent de tous côtés, couinent, et s'enfoncent dans un immense terrier creusé à même la mousse d'un canapé.

Le pédophile est avisé : il m'a *prêté* un Tupperware pour emporter mon couple de gerbilles. Lorsque je rentre à la maison, indemne de tout traumatisme — mais dépourvu de Perrier, et chargé des rongeurs du pédophile dans leur boîte à congélation, mes parents se regardent sans savoir quel mot dire.

Ce moment où, égaré dans une pensée, les yeux fixent par réflexe un non-lieu, comme pour donner corps à l'image invisible de leur échappement. Et si, à la manière des lanternes magiques qui existaient en Chine deux mille ans avant le Christ, ces yeux-là projetaient sur le tissu d'air ambiant leur paysage spectral, révélant au monde tels baisers inadmissibles, telles hanches oubliées?

★

Travesti ne croit pas à la pure hétérosexualité : « Même le Noir de 30 centimètres, il voulait me toucher la bite. »

★

L'homme avait demandé au garçon de se déshabiller en attendant de trouver un *coin tranquille* où il pourrait garer sa voiture. Le garçon était parvenu à baisser son pantalon sans détacher la ceinture. Manœuvrant son véhicule de la main gauche, l'homme avait commencé

87

de lui palper le sexe. Il avait dit : « Touche-moi aussi. » La voiture s'était arrêtée devant une décharge publique fermée le dimanche. L'homme avait ouvert sa braguette. Son sexe à lui paraissait celui d'un enfant, perdu dans l'affaissement des cuisses. Il avait dit : « Suce-moi. » Le garçon s'était penché. La torsion du bassin était désagréable. L'homme avait gémi davantage, le garçon éloigné sa bouche ; une gerbe de gouttes blanches avait frôlé son nez. La main de l'homme sur son sexe l'avait fait pleuvoir en même temps. On s'était tu. L'homme avait extrait de la boîte à gants un paquet de mouchoirs, et chacun s'était essuyé le ventre en silence. D'un doigt, l'homme avait ouvert les vitres électriques de sa voiture et l'on avait de chaque côté jeté son mouchoir imbibé. La voiture avait redémarré.

\*

De part et d'autre du chemin gravelé menant à la décharge, quatre mois plus tard, à l'endroit où étaient tombés les mouchoirs, deux arbres percèrent le sol. Quatre années plus tard, les arbres donnèrent de premiers fruits. Ce n'étaient pas des fruits. D'un côté, les bourgeons s'étaient transformés en fleurs blanches puis en perdreaux ; de l'autre, en fleurs mauves, puis en buses. Au premier jour de l'été, tout ce monde s'était envolé d'un souffle.

\*

Glamour : « Cela ne me surprend pas du tout que le goût des très jeunes garçons puisse s'exprimer chez des personnalités de droite conservatrice, ou d'extrême droite, comme Gabriel Matzneff, Renaud Camus ou Montherlant. C'est le mythe de la pureté, la peur du changement — le fantasme d'un retour aux origines. »

★

Alors que le sang coule contre vents et marées, la semence gicle si l'âme le veut bien. Le sperme est une pensée liquide (comme si le rire produisait une substance spécifique — mais de quelle couleur, de quelle texture?).

★

Deux pigeons devant ma fenêtre se percutent. Le premier, bien sonné, se réfugie sur mon balcon. L'autre s'écrase plus bas sur une poubelle (produisant un son de grosse caisse). Ayant recouvré ses moyens, le premier volatile rejoint la dépouille de son compère, et la picore.

★

Ta forêt : verte par nature, noire par nuit.

★

Tel oiseau de nuit, au téléphone : « Je ne sais plus qui a dit que l'autofiction appartenait par définition au territoire de l'homosexualité. »

★

Se donner bonne conscience en se donnant mauvaise conscience.

★

L'histoire de l'homme qui découvre que l'abricotier poussant dans son jardin produit des fruits aux noyaux d'or. Il le déterre, le brûle et se débarrasse de tous les noyaux parce que cette histoire ressemble trop à un conte et que, dans les contes, le protagoniste ne peut être que bon ou mauvais. Ce n'est pas lui.

★

Glamour dit : « Il y a autant de différence entre un garçon de dix-sept et de vingt-cinq ans qu'entre un garçon de dix-sept et de cinquante ans. »

★

Francis Ponge écrit : « Les rois ne touchent pas les portes. Ils ne connaissent pas ce bonheur »; j'imagine en souriant tous les mots qui pourraient remplacer *rois* et *portes* dans son poème.

★

**15.** On peut être heureux partout dans le monde, sauf à Lyon. Pas une ville en France ne condense autant de laideur, de mauvais goût et d'étroitesse d'esprit que Lyon. Le voyageur habituel quitte la gare de la Part-Dieu pour aboutir sur un parvis en cuvette dominé par une horloge géante évoquant l'aspect d'un réacteur nucléaire. Le ciel se resserre entre des immeubles dont les teintes jadis pastel attestent un quarantième anniversaire péniblement atteint. Tout est défraîchi, décrépit, sale, triste, profondément vilain. Partout, il y a eu rupture dans la chaîne du beau. Le charme n'existe pas au centre de Lyon : nulle courbe, nulle idée d'urbanisme ne se voit ennoblie par ce qui en elle évoquerait le charme désuet d'un monde passé. C'était déjà pire hier.

Ce n'est pas un quartier, c'est un champ de bataille. Les Trente Glorieuses expiraient. Le rêve s'affaissant sur lui-même, on promit aux Lyonnais le gaz à tous les étages et de beaux frigidaires. À la faveur de jolis pots-de-vin, les lotissements *de standing* prirent l'allure de zones industrielles. Autour de la liaison SNCF à grande vitesse, il fallut agglutiner un titanesque centre commercial (120 000 mètres carrés contre les 50 000 prévus sur le papier), quelques chantiers perpétuels, pléthore de sièges d'entreprises aux acronymes dépressifs (entourés d'hôtels mélaminés à l'intention de leurs heureux mandataires). Dispersé en grappes, un archipel de fast-foods finit de composer cette prison urbaine où la grâce a renoncé à réclamer son droit de visite.

Les naïfs, les profanes et les malhonnêtes disent : *Lyon c'est beau*. Il faut entendre : *le vieux Lyon est beau*. Certes, un cinquième de la ville peut sans fraude prétendre au panache — un panache fatalement entaché par les quatre cinquièmes restants. Lorsqu'on a vu les traboules, le théâtre des Célestins, l'Hôtel de Ville, Fourvière, le parc de la Tête-d'Or, la Croix-Rousse et « les quais », que reste-t-il à voir dans la deuxième ville de France ? Rien. Ou bien ceci : mille milliards de rues ternes bardées d'enseignes marchandes, des HLM construites au rabais, de petits bâtiments se jalousant les uns les autres, quelques structures récentes conçues par des architectes se figurant que la modernité revient à sceller des plaques d'aluminium sur des façades ondulées. Par conséquent, pour jouir des cartes postales citées plus haut, il faudra transiter par leurs jointures immondes — qu'un mobilier urbain de goût semblable agrémente ainsi que la moisissure rehausse la pâleur des joints autour des bacs à douche.

N'était qu'une affaire de briques, je me tairais — ou bien : j'aurais tout faux. Mais à Lyon, il y a des gens. Et quels gens : la poésie, que l'écrivain présume habiter toute chose, se dilue à leur contact même, comprimée sous le poids de l'autosatisfaction, de la consanguinité, des regards obliques et des petits désirs y afférents — avec pour première conséquence l'obsession de la marque statutaire (étouffés que sont les Lyonnais par un complexe binaire d'infériorité et de supériorité de n'être point parisiens).

Bordeaux passe pour une ville bourgeoise : elle l'est. Lyon est une ville de nouveaux riches ayant pris l'habitude de singer l'assez grande bourgeoisie. Les Lyonnais ont les moyens, moins la libéralité. La mesquinerie des miséreux et le cachemire autour. À Lyon, comme à Los Angeles, on ne marche pas — sauf à manœuvrer une poussette — avec la même conviction que le pilote d'un Neubaufahrzeug (le char lourd de la Wehrmacht). Sur le coup de 18 heures, les mères rissolant leur lardon, les pères claquant la portière de leur Picasso, la cité se vide. Des pas résonnent dans le silence d'un couvre-feu. Çà et là, des hordes de jeunes en survêtements griffés furètent sinistrement dans la nuit comme des hyènes lassées de rire.

Avec la hausse de l'immobilier, la population s'est considérablement paupérisée depuis les années 1980. Lyon se partage entre un cœur de bonne famille et une périphérie, à la lettre, incorporée à la ville. Confinés dans leur haine des riches, les pauvres vagabondent tête basse ; les uns obscurcis par le mépris des immigrés qu'ils accusent de les envahir, les autres envahis par le mépris qu'ils destinent à leur propre personne, et à celle de leurs voisins plus blancs de peau.

Si l'on peut prendre le pouls d'une ville en évaluant son système de transport en commun, il apparaît clair que Lyon souffre d'insuffisance cardiaque chronique. Contrairement à Paris, où les serviettes en cuir côtoient les chaussures de skate, le métro lyonnais se destine exclusivement aux étudiants, et au bas peuple. Il en résulte, au pire, un sentiment d'échec social, au mieux une profonde angoisse. On comprendra aisément qu'un jeune ayant grandi dans le chef-lieu du Rhône ne peut, s'il est doté de la moindre dose de curiosité, prendre la décision de *rester à Lyon* au seuil de ses vingt ans — à moins d'y guetter la charge notariale de Papa. Entre les joueurs de djembé d'un côté, les mocassins à glands de l'autre, la jouvence lyonnaise se caricature elle-même (et l'encre coule sur le papier).

Lorsque les hommes et leur habitat ont sombré, survit quelquefois la trace d'une grandeur, le miracle d'une culture qui palpite. Inutile de s'illusionner; entre le sous-théâtre, le théâtre pompier, le théâtre fastidieux, les films américains doublés, le musée d'art contemporain coincé à une extrémité de la ville entre deux boulevards autoroutiers, et fusionné au Palais international des Congrès, le meilleur des programmes est encore de faire comme les Lyonnais : brancher sa télévision. La plus vaste librairie de la ville ne vend aucun ouvrage d'Hervé Guibert (et elle va fermer). Le musée des Beaux-Arts, qui séquestre quelques belles toiles (mais est-on victorieux d'avoir un passé?), ferme ses portes entre 12 h 30 et 14 heures. Les recommandations de visite publiées sur le site Internet de l'établissement témoignent du rapport lyonnais à l'art; ce qui compte n'est pas de contempler la beauté mais d'en posséder la valeur, afin de la transmettre, comme une montre de luxe, à ses enfants : *Les œuvres d'art sont uniques et fragiles. Elles ont traversé les siècles et doivent être conservées pour les générations futures.*

Reste la gastronomie. Oui, on mange bien à Lyon. Ses habitants en sont-ils conscients ? S'ils vous louent leur ville, c'est inévitablement pour sa situation géographique — c'est-à-dire *en creux*, pour ce qu'elle n'est pas : Lyon se trouve *à deux heures des Alpes*, à *trois heures de la mer*, sans oublier *le TGV* pour la capitale, et la campagne autour. Car si l'on demandait aux Lyonnais : « Au fond, qu'est-ce qui vous retient ? », je doute qu'un seul d'entre eux réponde : « Le gras-double. » Le mystère est ailleurs.

On ignore où sont passées les trois, les quatre dernières heures de notre vie. Stendhal, Gide, Balzac, Bresson, Murnau, tous les autres qu'on n'a pas lus, pas vus, viennent narguer notre ministère de la Culture. Le sexe se dégonfle et fait mal.

\*

Le suicide en France d'un jeune ouvrier auquel sa direction voulait interdire de porter les cheveux longs à la fin des années 1960 a été très médiatisé.

\*

Débardeur évoque le *sexe de politesse*. Je lui demande d'expliquer ce qu'il entend par là, il s'étonne car c'est selon lui une expression populaire : tout le monde parlerait du *sexe de politesse*. Par acquit de conscience, il vérifie sur Internet : aucun dictionnaire n'évoque son expression, même si nous avons tous compris ce qu'il entend par là.

« Jeune, on s'étonne de choses minuscules », dit une voix de garçon africain (ou bien asiatique) contenue dans la petite boîte bleue pendue à un lacet rouge sur la face de laquelle est imprimée une photographie de Fou d'enfance (lequel m'a offert ce gadget fabriqué par *les Chinois* à l'occasion de sa dernière exposition à Pékin).

★

Nous ne nous sommes pas parlé au téléphone depuis presque un an. Il m'appelle de Copenhague et il dit : « C'est moi. »

★

Je retrouve un post-it sur lequel j'ai pris récemment des notes. Je suis incapable de me rappeler leur contexte ou leur signification : *fumée violette, forme fine, bouche béante, yeux jaunes / me demande ce que je fais là, atterri par hasard / combiner / gauche / nu blanc, haut, trop haut, pas large, contourner, herbe → jaune / 30 cm de haut, argile dedans, trou noir : rien, main → visqueux, cherche dedans / prendre le sac / petite — dorée — plaqué or — ancienne — jaune / petite rivière, s'étend beaucoup, eau claire + + vite, bois ½ gorgée / conversation, faites quoi, camp hostile → Non.*

★

Empathie me rapporte sa première conversation avec François-Marie Banier :

— Dites-moi, jeune homme, vous vous masturbez fréquemment?

— ... Ça m'arrive, oui.

— Et quand vous vous masturbez, vous vous mettez un petit doigt dans le derrière?

*

Ce rituel remarquable, dans le café où j'écris, vers 18 heures en hiver, où un garçon distribue de table en table, depuis son plateau d'argent, cent bougies allumées. Son travail à cet instant est certainement le plus joli de Paris.

*

Dans le train, furieux contre le jeune homme d'affaires, cravate rose et chewing-gum mécanique, assis trois sièges devant moi, qui passe son trajet à regarder des films d'action sans activer le mode « plein écran ». C'est-à-dire que la fenêtre de son lecteur vidéo reste partiellement ouverte, de sorte qu'on aperçoit toujours derrière elle l'icône de la corbeille, divers *dossiers compta*, et l'angoissant poste de travail. Il suffirait d'un clic pour que la vidéo s'affiche de haut en bas et de droite à gauche sans déficit de qualité. Je m'interroge sur l'irritation que son acte suscite en moi. Ce que nie le jeune homme en n'agrandissant pas la fenêtre, c'est une capacité à s'extraire des captivités prescrites, à améliorer sa condition sans démolir le monde.

Je me blottis contre la silhouette d'un jeune homme.
Son dos est large, son visage beau. Je me sens bien. Je
me dégage de l'accolade pour le contempler : déjà il est
moins beau. Je n'y crois pas, c'est une ombre qui le
déforme, mon souvenir qui l'embellit. Seulement l'impression se confirme à mesure que je l'examine encore
et encore. Bientôt, je me rends compte qu'il n'est plus
beau. Je me réveille en larmes.

16. Qu'est-ce que le sperme? La question se pose à l'orée du collège quand je découvre le verbe « bander ». Bastien m'explique que le sexe qui durcit porte un nom. Je m'arrête net dans le couloir d'entrée. Le sexe dur, je connais — mais comment imaginer qu'il existait un mot pour cela? C'est donc important.

Le son, d'abord, m'est étrange. Je le déforme, le répète comme un psaume. Il est analogue à un terme courant : la *bande* de potes, cette entité qui me fascine et que je ne connais pas. Pour une lettre de plus, mots et mondes changent. Je me sens fier. J'ai l'impression d'avoir été adoubé.

À compter de ce jour, le sexe est. Il devient inévitable que je l'observe. L'univers alentour vire de bord : à la radio, à la télévision, on en parle — en ce langage codé auquel je suis désormais initié. Ma verge, jusqu'alors abîmée dans un plus large corps, devient un objet à part entière. Quand je *bande*, je ne sais que dire au court barbillon qui pousse au sommet des jambes. Nous faisons connaissance.

Passionné qu'est mon camarade professeur, la leçon de choses se poursuit (notamment du point de vue théorique). Bastien me révèle ainsi que, dans certaines conditions, notre corps produit du *sperme*. Contrairement au mot précédent, celui-là fleurit sans ténébreux cortège. En moi débute une chasse au trésor : tel élément chimique existe entre deux cases du tableau périodique. Il m'échappe — je me figure sa substance, son volume; ses propriétés. Bastien appartient à cette race de garçons semblant connaître de façon innée tout ce qu'on ignore en enfance. Au fil de mes interrogations, il distribue les indices : c'est crème, ça colle, c'est rare.

La chimie devient une alchimie.

Quelques jours plus tard, dans un tiroir de la chambre d'amis de Diane — mon ancienne institutrice, et amie de mes parents, qui m'héberge durant un de leurs déplacements —, je découvre deux plaquettes blanches en forme de nuage, que leur texture apparente à de la cire, ou à une sorte de silicone. Je retiens mon souffle. La chambre d'amis n'est autre que l'ancienne chambre de la fille aînée de Diane : je me demande, tel un espion sur le point de démêler un imbroglio nucléaire, si ma maîtresse envisage seulement ce qui s'y tramait dans le noir.

Se forcer à embrasser, comme on se force, avant le coucher, à boire deux verres d'eau, parce qu'on sait que c'est bon pour la santé.

*

Persan : « La soumission a une mauvaise image mais moi ça ne me gêne pas d'être soumis. Au moins : j'ai choisi. »

*

J'ai demandé à mon grand-père de sélectionner dans ses albums photos un cliché de chacun de mes anniversaires, de zéro à quinze ans. Ce que je comptais observer, c'était la lente évolution de l'enfance vers l'âge adulte — comment le visage se transmue, et le regard s'épaissit. Rien de tel. Je vois une série d'images d'enfance, irrémédiablement d'enfance, et tout à coup, en 2000, à quatorze ans exactement, une rupture : paysage absolu du monde nouveau.

Au lever du jour, je saisis mon appareil. Jean d'Oubli me tourne les épaules en citant fièrement il ne sait plus qui : « Photographier quelqu'un, c'est le transformer en objet que l'on peut dominer de manière symbolique. » Confondu, je photographie son dos. La lumière du dehors se reflète sur le blouson de cuir.

*

— Depuis combien de temps vous êtes-vous séparés ?
— Un an.
— Ah, quand même : c'est du sérieux.

*

Le haut fonctionnaire : « Il faut arrêter de faire voyager les péquenauds. La classe moyenne n'a pas besoin de voir en vrai les pyramides. C'est une aberration écologique : il est urgent que le prix du carburant augmente. Bien sûr que ça va me coûter plus cher — mais ça limitera les déplacements de gens à qui le voyage n'est pas essentiel, et qui anéantissent la planète. Moi, je ne voyage pas pour tester de beaux hôtels — je voyage parce que c'est une nécessité sexuelle, donc vitale. À Cuba, on trouve les mêmes hôtels que sur la Côte d'Azur — mais pas les mêmes mecs qu'à Paris. »

*

Dans sa citation, Jean d'Oubli a confondu les verbes « dominer » et « posséder ». Il ne sait pas si *c'est grave*.

★

— Tu pourrais coucher avec une femme ?
— Bien sûr.
— Qui ça ?
— Je ne sais pas : Audrey Hepburn, Marlene Dietrich…

★

*Mon ami est creux. Il est Philippe. Son nombril c'est miniature. Il a de la sueur sur son front. Philippe, je dis Pourquoi tu es malade. Il dit Je sais pas. Je me souviens de l'arbre à pain, je ne dois pas regarder.*

★

L'Homme au bain : *Qu'on ne contraigne pas les garçons gracieux à porter l'encombrant sexe mâle !*

★

Il a ôté son pull-over, il a ôté son pantalon, il a ôté son tee-shirt, il a ôté ses chaussettes, il a ôté son caleçon, il s'est coulé dans le lit : il était encore habillé.

★

Comme on se figure que pénétrer un corps, c'est vouloir rentrer tout entier dans ce corps, et dans le même temps faillir inlassablement à le faire. Il y a dans l'itération du mouvement sexuel une sorte d'échec métronomique semblable au balancement des pieux en synagogue. Entre la crainte et l'amour de *Hachem* (le premier code de théologie hébraïque), les Juifs savent que l'équilibre n'est pas moins chimérique que la nécessité de le quérir, primordiale. Vivre en homme, c'est échouer de toutes ses forces.

★

17. Ma mère m'attend à la sortie des cours, nous passons près d'un pont. Une compétition de gymnastique s'est disputée entre toutes les classes du collège. Plus tôt, j'ai ramassé dans le caniveau une médaille de pacotille pendue à son cordon tricolore. L'ayant passée autour du cou, j'annonce à ma mère que j'ai remporté *la compétition*. Elle est fière dans le rétroviseur. J'ai déjà oublié que je n'ai rien remporté du tout. J'avale ma salive. Je suis heureux.

Nul ne m'avait appris que le mensonge fût simple. Il suffit de dire *J'ai gagné* pour avoir gagné. Lorsque mon père rentre de la clinique, j'ai droit à un *Bravo mon chouchou* doublé d'un baiser sur le haut du crâne. Dans la cuisine flotte une fastueuse atmosphère de victoire. On me demande quelles étaient les épreuves, je les débite sans anxiété : *barres parallèles, barre simple, poirier, trampoline*. Mon père sourcille à l'évocation de la dernière épreuve : « Trampoline ? » Je confirme. Tout le monde se réjouit de la belle surprise.

Je m'endors sans peur.

Le lendemain, à la sortie du collège, le visage de ma mère s'est assombri. Sa première phrase ressemble à un leurre : « On t'a de nouveau félicité pour la compétition d'hier? » J'ai saisi l'amorce mais je nie, masséters en acier trempé. Puis : « Pourquoi nous as-tu menti? » Une bombe explose dans mon estomac. Je ne sais pourquoi j'ai menti. L'imposture a donc ses revers. Je rembobine la cassette — si je n'ai pas brillé à la compétition de gymnastique, je n'y ai subi aucun déshonneur. Alors : pourquoi?

En l'espace de quelques secondes, le monde s'enrichit d'une dimension supplémentaire. Ce soir-là, dans le silence de la cuisine désenchantée, je conçois l'infinité des mensonges possibles. C'est une question d'imagination. J'inventerai de meilleures histoires, et leur peindrai de beaux décors. La mystification n'est pas une impertinence : c'est un chemin de traverse vers d'autres galaxies; celles auxquelles on nous empêche d'accéder, celles qui existeront grâce à nous.

Au procès en appel, je reste ferme sur ma ligne de défense : j'ignore *pourquoi j'ai menti*, ce qui est vrai; je regrette *d'avoir menti*, ce qui n'est pas tout à fait vrai.

Jeune Homme semble inquiet : « Il n'y a plus de goût. » Il marque un temps, regarde aux alentours, modère sa réplique : « Excepté le mauvais goût. »

★

J'ai écrit *P H* sur le dos de ma main gauche pour me rappeler d'offrir un livre de Pierre Herbart à Jean d'Oubli, l'un de mes livres favoris : *L'Âge d'or*. Le cadeau lui fait plaisir (bien qu'il en ait sa claque — il l'affirme — des éloges littéraires de *la belle jeunesse*). J'écris une dédicace en forme de soleil. Dans mes bras au matin, Jean d'Oubli me demande ce que signifie *P H* sur le dos de ma main. Je dis que c'est le livre que je lui ai offert, que c'était pour ne pas oublier Pierre Herbart. Après la douche, les lettres sur ma peau sont devenues presque invisibles. Effleurant mon bras, Jean d'Oubli dit : « Bientôt, ce ne sera plus qu'un souvenir. » J'entends : *Un pense-bête qui devient un souvenir.*

★

Dos-à-face (face-à-dos) ; plus secret (plus voluptueux) que le face-à-face où chacun parle, aime, mange et se bat les yeux dans les yeux.

★

Jean d'Oubli a mis la main sur les journaux intimes de sa grand-mère. Il en a ouvert un au hasard, assis sur une caisse au grenier. Sa grand-mère aimait cuisiner. Dans le deuxième cahier il a retenu cette phrase : « Le bon goût des langoustes réside dans le fait qu'on les plonge vivantes dans l'eau bouillante. »

★

Si le sexe n'était que cela — toi nu dans mes bras, la respiration du cœur roulée entre les cuisses, l'immobile chaleur, la lente lumière du jour —, je m'en contenterais mille fois, plusieurs milliers de fois.

★

C'est un écrivain qui, au lieu d'adresser *toute sa tendresse* au lecteur ami à qui il dédicace son ouvrage, prend soin de ne jamais la quantifier ; parce qu'on ne donne pas toute sa tendresse sur un coup de tête (parce qu'il faut faire des réserves).

★

Travesti dit : « Je croyais que les mecs ne regardaient pas du tout comment je m'habille. En fait, ils ne regardent *que ça*. »

★

*J'ai mis du feu dans la main, ça fait du feu sur le bras, je suis tout en feu mais ça brûle pas. Je suis dans la protection. Je m'endors dans le feu pour être protégé, comme j'ai la peau noire.*

★

Persan : « Pendant mon internat de seconde à Montpellier, j'ai demandé à dix-huit mecs si je pouvais les sucer. Dix-sept ont dit oui. Ça a eu une conséquence terrible sur ma vision de la vie : depuis, je me dis que tout le monde est détournable. »

★

Le castel doit être vaste pour ne pas se sentir cloîtré, il faut éviter les courants d'air, pouvoir passer d'aile en aile sans nécessairement se croiser, prendre garde à ce que l'ouverture d'une fenêtre en haut ne fasse pas claquer les portes d'en bas.

★

Ainsi qu'on baptise les roses, il faudra un jour baptiser les peaux (inventer un nom de couleur pour chaque pulpe de visage).

*

J'ai dormi trois nuits avec un garçon qui ressemble à une biche et à Oui-Oui. Quand je le tiens dans mes bras, je tiens un garçon, plus la beauté.

*

18. Se demander ce que Lyon nous a fait pour lui en vouloir tant.

Persan : « Un mec est entré pour emprunter un effaceur au moment où j'en suçais un autre dans sa chambre d'internat. Sur le moment, il a ri en nous assurant qu'il s'en foutait. Mais une semaine plus tard, j'ai été convoqué par la proviseure, qui a fait preuve d'une homophobie flagrante : le mec que je suçais a été exclu une semaine, et moi, définitivement. »

★

*Je mange la dorade, le poulpe, l'anguille, le thon blanc. Avant, il n'y a pas de poisson. Mais quand Philippe est mort, je mets son corps sur l'eau. Il donne une force. Après, je trouve des poissons, ils sont de Philippe. Je suis tout seul. La nuit, je regarde toutes les vagues.*

★

« À l'origine, les organes génitaux étaient la fierté et l'espérance des êtres vivants, ils jouissaient de la vénération réservée aux dieux et transmettaient le

caractère divin de leurs fonctions à toutes les acti
vités humaines nouvellement apprises. D'innombrables
figures divines se sont élevées, grâce à la sublimation,
au-dessus de leur nature première, et à l'époque où la
corrélation entre religions officielles et activité sexuelle
se dissimulait déjà la conscience commune, des cultes
secrets se sont employés à la maintenir en vie chez un
certain nombre d'initiés. Il arriva pour finir dans le
courant du développement de la culture qu'à force
d'extraire de la sexualité ce qu'elle avait de divin et de
sacré, son reliquat, épuisé, succomba au mépris. »

(Freud, *Un souvenir d'enfance de Léonard de Vinci*)

★

*Dans le noir, le feu fait des couleurs, et orange et bleues.
Il fait une forme qui est le visage des amis. Je ne dis pas que
je peux mettre le feu sur moi. Je regarde.*

★

Si je te manque, tu me manques.

★

[*Une intaille est une pierre dure et fine gravée en creux
pour servir de sceau ou de cachet. Elle peut être présentée
seule, montée en bague, en bijou, ou faire partie d'une
parure.*]

★

114

Extrait d'une page Web intitulée *Comprendre l'homo-sexualité, une approche psychanalytique* :

L'homosexuel cherche, dans l'amour donné à un homme plus jeune que lui, le prototype de l'amour qui lui a été donné ou refusé par sa propre mèrepédophilie quand il était garçon. Il aime ses partenaires comme sa mère l'a aimé, lui ; d'où le choix de partenaires plus jeunes, ce qui peut conduire à la.

★

Ta beauté est frappante. J'ai la peau qui marque.

★

« les deux objets fondamentaux du *camp*, la grâce adolescente et la somme d'érudition, communiquent donc secrètement : grâce à cette matière privilégiée du secret justement qu'est le silence. [...] On pourrait isoler ces objets comme des figures de la "suspension" (on reste "suspendu" à leur spectacle) ; et leur silence comme une limite sur laquelle on achoppe. »

(Patrick Mauriès, Second manifeste camp)

★

**19.** Mon père fume une cigarette par jour, une menthol qu'il allume le matin dans la voiture en nous conduisant à l'école. Sans que l'on m'ait nullement défendu d'y toucher, cette cigarette me paraît être la plus interdite des choses. À lui seul, l'objet allie le danger du feu à l'absence de nécessité (qui ne peut être que le plaisir). Le cigare des dîners du dimanche soir me fascine moins : c'est un geste social. Les enfants inhalent en râlant sa grosse fumée, qui ressemble à plusieurs mauvaises haleines confondues.

Il y a aussi la pipe. Fleurant bon le sucre, elle a tout d'une baguette magique. Celle de mon père est d'ivoire, incrustée avec tant d'adresse que s'y ébauche un paysage entier. Toupillant son fourneau clair, je visite une oasis ballottée par les palmes lascives de ses dattiers pour déboucher en plein souk d'une petite ville, où cent marchands négocient carafes, bracelets et moucharabiehs. Les soirs de spectacle dans le salon, coiffé d'un haut-de-forme, j'ai la permission de mordiller la pipe sacrée en bichonnant ma moustache. Elle a un goût : son tabac n'est plus un mythe.

Une après-midi que Baptiste vient jouer à la maison, je l'attire derrière la rocaille pour révéler au creux de mon poing une cigarette composée d'épines de conifères, de brins d'herbe et de feuilles de tamaris roulés dans un buvard scellé à la colle UHU stick. Baptiste se penche pour la mieux voir, la tâte et la pince entre ses lèvres. Ma poitrine tonne comme quatre tambours : j'ai oublié le feu.

Pénétrant l'air de rien dans la cuisine, je vaincs l'épreuve de l'adulte qui demande à quoi l'on joue, pour accéder à l'étagère où sont entreposés briquets, allumettes et paquets blancs (ces paquets que je n'ose approcher, persuadé que tout fumeur tient un registre scrupuleux de ses cigarettes).

Je reviens. Baptiste embrase l'extrémité de ma cigarette de fortune, et aspire un bon coup. Une fumée blanche mâtinée de grains de sable lui poisse la langue : il la recrache en pleurant. À mon tour : je tire à pleins poumons sur la cigarette — qui s'est éteinte. Il faut la raviver plusieurs fois pour enfin déguster son produit. Ayant toussoté, je sonde le bureau des sensations, pour ne percevoir aucune modification de mon état ou de ma physiologie. J'inspecte tout de même discrètement mon sexe, qui ne s'est guère transformé, et ne ressent ni supplice ni agrément; je l'inspecte comme si toute censure avait forcément quelque chose à voir *avec ça*.

Jeune Homme me déconseille d'appeler mon livre *roman*, parce qu'il pense que tout y est vrai. Pour ma part, je ne comprends plus le mot *roman*, j'ignore s'il désigne un genre littéraire ou s'il constitue un avertisseur de fiction (il existe des langues où le sens des mots varie selon la position du soleil, ou selon qui les prononce).

⋆

Domodossola écrit : « Il est temps d'exporter le transgenre en littérature, et qu'on n'en parle plus. »

⋆

La mère de Bord Cadre l'a mis en garde : « Dans un couple, il y a trois sujets de discorde ; l'argent, le sexe, et les enfants. » Bord Cadre estime qu'il était trop jeune, à quinze ans, pour saisir (pour entendre) cette phrase.

⋆

Jeune Homme plisse le front : « À mes yeux rien n'est plus ennuyeux qu'un film pornographique. Il s'y passe toujours la même chose, et c'est très long ! »

★

Le garçon intelligent et esclave de sa sexualité : « Parfois, j'aimerais être un sol. »

★

Jeune Homme a les yeux dans le ciel : « En ce qui me concerne, le sommet de l'extase sexuelle a toujours été un baiser. »

★

Et si la *dernière image*, figurée au cinéma par un éclat de lumière éblouissant, était une image plate ? L'image d'une théière, la photographie d'un canapé avec quelqu'un dessus.

★

Jeune Homme, qui a lu la première version de mon manuscrit, m'écrit pour m'en parler : *Est-ce vraiment utile de régler tes comptes avec Lyon d'une façon aussi potache (pardon !). C'est la seconde ville de France, qui compte quand même des librairies et quelques lecteurs…*

★

J'explique à Jeune Homme que ma vision de Lyon est très subjective, qu'elle ne peut en aucun cas être prise pour argent comptant.

★

Jeune Homme persiste à m'inciter à réviser le procès de ma ville natale : *Nous sommes tous lyonnais comme disait Kennedy, et je n'ai aucune envie de me faire fouetter par un insolent jeune du pays, même s'il le fait avec humour (qui, en l'occurrence, n'est pas si perceptible que ça !).*

★

Ma Reine m'envoie au même moment un extrait du premier volume des *Lettrines* de Julien Gracq, publié en 1967. Je me sens à la fois redondant, et encouragé : *L'aversion mal explicable, le désintérêt à nuance marquée d'hostilité que j'ai toujours éprouvé pour* Lyon, *où je n'ai jamais passé chaque fois plus de quelques heures, et où je n'ai jamais désiré m'attarder. Nulle image gracieuse, nul fantôme tendre, nul siège, nulle bataille ne vient embellir dans mon imagination cette laide dégringolade au fil des pentes bossues des maisons noires et des toits aux couleurs acides : les collines mêmes sur lesquelles est assise la ville sont disgraciées et bancales ; on dirait qu'elle est bâtie sur des terrils de mine. Cette cité si ancienne de France ne semble nulle part pour l'œil avoir aménagé avec son site cette complicité profonde et vieille qui embellit si naturellement des dizaines de villes plus humbles. [...] Les quais de sa gare, dans la grisaille du petit matin, entre tous les quais m'ont toujours paru des quais où se pendre.*

*

Ainsi que certaines espèces d'animaux sauvages mastiquent leur placenta après parturition (pour éviter d'attirer les prédateurs), mon texte doit naître une première fois (être lu, être commenté) pour ruminer l'enveloppe qui le raccorde au monde. J'ignore ce qu'il advient des prédateurs.

*

**20.** Tous les sexes ne comptent pas également. Avant les attributs du plaisir, il y a les figurants (à la télévision, sous les abribus, dans les catalogues de sous-vêtements) qui, s'avérant distants et professionnels, animent peu ma curiosité. Les sexes *véritables*, franchissant le monde réel, attisent l'examen : ceux de mes grands-pères, celui de mon père.

À sept ans, j'ai deux aïeuls en vie. L'un habite Lyon, l'autre Paris. Le premier fut déporté, le second *seulement* résistant. Manioc, le père de mon père, est un homme grand et raide, réputé à juste titre pour sa droiture et sa dévotion, qui ressemble au général de Gaulle, qui a connu Jacques Chirac, qui fut vendeur de vin et donnait tout son sang, qui n'appartient déjà plus à notre époque ; qui est *d'une autre époque*. Autour de mes dix-huit ans, je m'endors à ses côtés lors d'un séjour familial à Paris. J'ai l'impression de me trouver dans le lit d'un rhinocéros très vieux, qui respire avec difficulté. Je dors sur le dos. Une phrase retentit avant le sommeil, c'est la phrase que je retiens intacte, en mots comme en voix, de ce grand-père-là : « Je n'approuve pas la position des hommes qui vivent avec des hommes et des femmes qui vivent avec des femmes. » Je ne lui en tiens nul grief (ni aujourd'hui, ni ce soir-là).

Son sexe, je le découvre enfant quand il nous rend visite à Lyon. On ne verrouille pas la salle de bains, parce que Manioc est vieux et que le carrelage glisse. Ma mère dit : « Il faut le surveiller. » Face à lui, tel un geôlier, je lis *Picsou Magazine* sur la cuvette rabattue des toilettes. Manioc parle peu, et lentement : son monde siège à l'opposé du mien. Je le questionne sur Paris, la vinification, le fonctionnement des chèques bancaires ; mais mes yeux sont curieux de son sexe (comme ils le seraient d'un iguane au reptilarium). Manioc n'ose me défendre explicitement de l'examiner : il déplace à la surface de l'eau un gant de toilette au-dessus de l'iguane. Le cliché fut-il trop bref, ou bien décevant ? Ses écailles ont sans exception disparu.

Kipling, mon autre grand-père, n'éprouve pas gêne semblable. Il a connu l'avilissement du corps : son sexe n'est pas un sexe. C'est un morceau de chair subsidiaire. On peut aisément le considérer. Il n'effraie ni ne fascine — au contraire de celui de mon père. Chaque matin en sortant de sa douche, lui brandit un large boyau qui, cliché après cliché, s'imprime gros comme une maison.

Il dit : « Nous autres homosexuels passifs devons vivre avec nos hauts fonds, connaître la matière qui s'échappe en nous, de nous, fréquenter d'un doigt l'intérieur du monde, quotidiennement. Nous vivons en escargots à l'intérieur de nous-mêmes. »

*

Jeune Homme : « Les véritables amours de ma vie ont été des amitiés, et des chats. »

*

Fou d'enfance :

*j'ai ce rêve récurrent depuis la jeunesse, celui d'un animal
lisse et beau,
un chien de race extraordinaire, un renard, une biche peut-être...
qui en réalité est un garçon...
tu l'as eu aussi ?*

— Ces derniers temps, j'ai senti un désintérêt de ta part.
— C'est moins un désintérêt qu'un éloignement.
— Pour moi c'est la même chose.

★

J'ai un danseur dans le ventre.

★

— Ce que je donnerais pour retourner à Dudur avec toi, il y a cinq ans ou six...
— Je me souviens quand on se sautait dessus dès l'arrivée, cette maison qui était ton décor, la chambre de Pito, ses souvenirs d'adolescence (la fourmilière), et nous sur le lit frais, la mère affairée en bas, notre amour intouchable. C'était merveilleux.
— Merveilleux. Ce sera impossible avec quelqu'un d'autre que toi.
— Je sais.

★

« Les pères sont impardonnables, et comme la plupart sont quand même pardonnés par la bonté des fils, on peut bien en laisser deux ou trois sur la route à mâcher leur dépit. »

(Mathieu Riboulet, *Les Œuvres de miséricorde*)

★

Espérer que ce goût des garçons féminins (pas efféminés — *féminins*) n'est pas une façon de se racheter à moitié.

★

Je te cite, parce que tu me cites.

★

Tu le déplumes. Tu le dépèces. Tu examines ce qu'il contient. Tu arraches le bec et les pattes. Tu comprends comment ça vole (mais ça ne vole plus).

★

Le père de la mariée lit scrupuleusement son discours : « Ma chérie, en te disant ces mots, je sens ma voix tressaillir sous le coup de l'émotion... »

★

À un cocktail dans le 6$^e$ arrondissement, après son troisième verre de chablis, tel éditeur hétérosexuel, d'une élégance sciemment baroque : « Il y a eu une seule invention sexuelle depuis deux mille ans, c'est le *fist fucking*, et c'est une invention homosexuelle. »

★

Matelot conclut : « Aujourd'hui, il est moins honteux de parler de sexe que d'amour. »

★

**21.** Je me suis fait une amie. Elle s'appelle Marie, elle habite le quartier, nous nous sommes rencontrés au cours de solfège. Si le visage de Marie ne me revient pas, je me rappelle sa rue, sa maison, des cartes à jouer plus hautes que celles utilisées pour la bataille, qui vacillent entre les doigts de sa mère; les larmes de cette femme percutant la pelouse en même temps que les cartes.

Privée de figure, Marie contient une histoire. Son père est militaire. Pilote d'hélicoptère. C'est un bel homme, charismatique, entré adjudant et nommé lieutenant-colonel *en même pas douze ans*. C'est lui qui a construit la maison *à partir de rien*, dans ce jardin broussailleux celé entre deux vieilles demeures lyonnaises; la pergola aussi, les bancs de granit, et le chemin de pierres plates qui mène à la piscine. Son père est mort.

Depuis l'accident d'hélicoptère, la mère de Marie a versé dans le spiritisme. Elle a écrit un livre autoédité, qu'elle distribue gratuitement à ses amies : *L'Amour plus fort que la mort — comment Michel continue de me parler*. Elle m'invite à *rencontrer Michel*, assure qu'il serait heureux de faire ma connaissance. J'ignore toujours qui est

127

Michel. Marie chuchote : « C'est mon père. » La mère de Marie dit : « C'est le père de Marie. » Par politesse, je n'ose demander où se trouve Michel.

La mère de Marie nous installe sous la pergola. Elle se plaint de ce que les bambous *bouffent tout*. Marie se place face à moi, sur une chaise de jardin. La mère s'est assise entre nous : elle distribue un certain nombre de cartes. Elle me demande si je connais le tarot. À part moi, j'imagine que c'est le nom du père : Michel Tarot. Une fois les cartes disposées en rangs, la mère entrelace sa main dans celle de sa fille, et agrippe la mienne. Elle dit : « Michel, où que tu sois, quoi que tu fasses, nous t'accueillons. »

J'ai compris trop tard — et suis contraint d'endurer un moment éternel. On pleure. On m'enjoint de me présenter. Je bredouille que je suis Arthur, que j'ai *huit bientôt neuf ans*, que j'aime *bien les rongeurs*, que j'habite *aussi le troisième*. Bienveillant, j'adjoins aux adieux à Michel un *J'espère que vous reviendrez bientôt*. La mère de Marie lâche subitement ma main : *Tu ne* peux pas *dire ça*. Puis d'une voix inédite : *C'est facile pour toi, petite saleté, d'avoir un père vivant ?*

Lorsqu'il est ému, le garçon saigne des gencives. Il a une bonne hygiène dentaire, ce n'est pas de sa faute, à cause de l'émotion certains ont mal à l'estomac, d'autres rougissent, lui a les gencives qui saignent (quand on l'embrasse, si l'on perçoit un goût de fer, c'est que le baiser lui plaît).

*

Travesti m'explique : « Il faut être soit très pute, soit grand style ; Chanel, talons, maquillage — Catherine Deneuve quoi. »

*

Titre : *L'Enterrement des jouets.*

*

Telle idée se dissimulant à demi, se mettant en scène, croyant devoir sa majesté au vide artificiel qu'elle se tisse en cortège.

★

Bel Horizon : « Être amoureux, c'est avoir le sentiment de ne rien rater. »

★

Matelot : « Il était tellement gêné, tellement mal à l'aise — même s'il en avait très envie — qu'à un moment je me suis arrêté et je me suis dit : *Je suis en train de coucher avec un garçon*. Je n'avais jamais ressenti ça. »

★

Laisser passer du temps (essorer la beauté).

★

— Tu m'as raconté des foutaises, hier...
— Bien sûr !
— Je te demande pardon ?
— *Bien sûr* que quand on ment, on raconte des foutaises.
— ... (*Il reste bouche bée.*)
— Tu ne voudrais pas que je mente en disant la vérité ?

★

Une femme psychotique habitant en bordure de voie ferrée : « J'aime quand les trains passent : ça crée de la vie. »

Mâcher avec bonheur le pain de William Cliff :
« Quand on vit en couple, on se fait des confidences sur
l'oreiller, mais quand on vit seul, on doit bien se confier
au lecteur. »

**22.** Mon père a revêtu son peignoir japonais, soustrait à un ryokan lors d'un voyage de jeunesse avec ma mère, dont les souvenirs de jade garnissent les étagères du salon. Il a fallu se lever tôt pour *ouvrir les paquets*, parce qu'il doit *filer à la clinique* accoucher la femme d'un footballeur de l'Olympique lyonnais. Autour du sapin, devant chaque chaussure, des paquets dorés, argentés, rouges, nous attendent ma sœur et moi. Je me dirige vers le plus modeste, lorsque mon père m'invite à ouvrir *d'abord le plus gros*; une boîte à chaussures décorée de motifs indiens, trois fois percée de chaque côté. Soulevant son couvercle, je crie de joie.

Au printemps, je décide d'affranchir mes cadeaux de Noël. L'odeur qui émane de leur cage est de plus en plus forte — quant à l'agitation nocturne qu'ils génèrent, elle m'empêche de dormir. Un dimanche de soleil, j'établis la niche de Ping et de Pong sur la parcelle de pelouse attenante à la cuisine. Cœur battant, je me précipite à l'étage et reparaît avec un cochon d'Inde dans chaque main. Les rongeurs installés en leur nouvelle demeure, je guette leur parution : à ma grande déception, ni Ping ni Pong n'osent avancer d'un pas. Peut-on craindre d'être libre ? Navets et fanes de carottes ne débrouillent pas les choses. Je scrute jusqu'à la dernière heure cette caverne où frémissent deux poltrons museaux.

Malgré ce tâtonnement initial, Ping et Pong goûtent bientôt les joies de la nature. Ils s'endurcissent. Désormais ils gambadent, ils sautillent — ils se séparent — et chaque soir regagnent leurs pénates pour y dormir tête-bêche. L'émancipation topographique s'accompagne d'une émancipation de mœurs. Il n'est pas rare de trouver Ping à cheval sur Pong, ou bien l'inverse, s'activant comme un adolescent. Ma mère décide de les rebaptiser : en référence à ce couple d'artistes londoniens qui créent des collages aux allures de vitraux mêlant visages et excréments, Ping et Pong se nommeront Gilbert et George.

Toute liberté a son envers. Horrifié, je ramasse un jour devant la cuisine une patte ensanglantée de Gilbert. Un chat est passé par là, et a fait peu de restes. Des heures durant, en vain, je cherche son compagnon. Ce n'est qu'au crépuscule que me vient l'idée de *vérifier la niche*, où George, en parfait état, s'est laissé périr de chagrin. Inhumant sa dépouille mortelle, j'entrevois à genoux la puissance de l'amour.

Les parents de Cactus sont boulangers. La peau de Cactus a l'odeur du beurre, et la couleur d'un croissant.

★

— Je compte les changements de préservatifs dans la chambre de mes parents.
— En quoi est-ce que ça te concerne?
— Je veux savoir s'ils s'aiment.

★

Je fais lire à ma mère le chapitre sur Gilbert et George (mes cochons d'Inde). Un détail la heurte : « Tu dis à tout le monde que nous avons volé ce peignoir dans un hôtel au Japon. On va nous prendre pour des gens malhonnêtes. »

★

Bord Cadre s'endort en lisant Freud : « Je veux bien que l'amour d'une mère pour son enfant soit en partie instinctif. Mais l'amour d'un enfant pour sa mère ? Si ce n'est pas un miracle de Dieu, ce ne peut être que l'amour de la nourriture. Ce qui signifie que notre première définition de l'amour se fonde exclusivement sur une sensation d'agrément. »

*

Ce n'est pas la mention du peignoir japonais qui offense ma mère (c'est qu'elle comprend que, *dans ce livre*, il sera parfois question de *mes parents*). Je dis : « J'ai transformé les lapins en cochons d'Inde. Tu vois bien que c'est un roman. »

*

Travesti : « Il a été prouvé que c'est dans les moments de détresse et de douleur les plus forts que les gens ont le plus envie de sexualité. »

*

Dans un entretien mené par Pierre Dumayet, Georges Bataille précise qu'il est *très important d'apercevoir le caractère enfantin de l'érotisme dans son ensemble* : « Est érotique quelqu'un qui se laisse fasciner comme un enfant par un jeu, et par un jeu défendu. Et l'homme que l'érotisme fascine est tout à fait dans la situation de l'enfant vis-à-vis de ses parents. Il a peur de ce qui pourrait lui arriver. » L'espace d'un éclair, il me semble que tout s'explique (un éclair seulement).

Travesti reçoit chez lui Karim, surpris, *comme par hasard*, de se trouver face à un homme. Travesti l'égratigne : « Ta maman ne t'a pas expliqué ce qu'était une travestie ? » Karim dit : « Je ne peux pas payer, tu es un homme. » Travesti, qui n'aime pas perdre son temps, le somme de déguerpir. Karim réclame une caresse de dédommagement (« Maintenant que je suis venu »). Travesti monte d'un ton : « Si tu veux me caresser, tu paies. » Comme un refrain, Karim récidive : « Je ne peux pas, tu es un homme. » À moitié accablé, Travesti interprète son récit : « Toute l'homosexualité des Arabes est contenue dans cet échange. Ça résume *tout*. »

★

Bord Cadre reçoit en cadeau un livre : *Décrypter les gestes du mensonge (Comment ne plus être le jouet de l'autre)*. L'ayant feuilleté, il reste perplexe : « Si j'applique la grille d'analyse, tous les gestes sont des gestes du mensonge. »

★

Un livre est un effort, qui ne jaillit pas des bois comme l'exhibitionniste. Il faut le lire (c'est pourquoi il n'y a que des voyeurs en littérature).

★

23. C'est la campagne, en périphérie de Lyon. Je ne sais plus où nous allons (d'où nous revenons). Je suis seul à bord avec ma mère. Nous écoutons la radio. Le jour se conclut dans une lumière nette. Un camion de pompiers apparaît, clignotant rouge et bleu dans le rétroviseur. Ma mère ralentit, se déporte sur le bas-côté de la départementale pour lui céder la priorité.

Et tout à coup, une fois le véhicule passé en flèche, sur un ton malicieux elle me confie : « On va le suivre. » Je ne comprends ni ce projet ni la brillance étrange qui perle sur le visage de ma mère. Elle sourit en accélérant. Nous rattrapons le camion. À l'horizon, le véhicule marque l'arrêt. Le gyrophare s'éteint. Nous nous garons en contrebas. Ma mère déboucle sa ceinture, s'éponge le front avec un mouchoir, me fait signe de la suivre et se met en marche, sans se retourner, sur le chemin de terre qui longe la chaussée. Atteignant la zone de stationnement, je distingue deux ambulances, et derrière elles, dans un fossé, une Volvo au pare-brise explosé, piqueté çà et là de traces rouges. Près du fossé gît une moto,

137

dont le moteur fumant semble sur le point d'exploser d'un moment à l'autre.

Ma mère m'agrippe la main et dit : « Le motard arrivait par là, il a heurté la voiture de plein fouet. Le choc l'a projeté sur la barrière de sécurité et l'a découpé en mille morceaux. (*Une pause.*) On va chercher les morceaux. » Relevant les yeux, je découvre une armada d'hommes vêtus de combinaisons blanches, fines comme du papier, se déplaçant par enjambées prudentes au travers d'une végétation de plus en plus sombre. Soudain, l'un d'entre eux fait signe aux autres avec l'air de dire : *J'ai trouvé quelque chose.* Ses collègues le rejoignent, déploient un sac en plastique dans lequel on glisse un reste humain qui ressemble à une cuisse. J'ai envie de pleurer. J'ai faim. Je veux regagner ma chambre. Ma mère me traite d'alouette. Pour la première fois de mon existence, je me sens complètement perdu.

(*Plus tard.*) Un policier nous a aperçus, ma mère l'a trompé, a montré sa carte de médecin; nous sommes rentrés en silence — pour n'en plus jamais parler. Plusieurs fois, durant quelques mois, je la soupçonnerai de tourner à gauche, ou à droite, dans le seul but de suivre une ambulance ou quelque autre camion de sapeurs. Je fixerai son visage, l'imperceptible moiteur de sa peau : elle palpera ce regard, son poids et sa prière, et reprendra sans mot dire le chemin de l'école.

Mylène Farmer interviewée le 17 décembre 1986 sur Antenne 2, dans l'émission « Sexy Folies » :

— Il vous est arrivé de passer plusieurs mois sans faire l'amour, plusieurs semaines ?
— Oui ; toute mon adolescence. Toute mon enfance.
— Et vous l'avez vécu comment, c'était difficile, c'était une frustration ?

★

Les fabricants sont ainsi *victimes d'un phénomène que l'on appelle la compression d'âge, où les enfants deviennent plus vieux plus tôt,* constate Eric Rossi, directeur général de Vivid Europe (Smasha-Ballz, Crayola...).

(« Les enfants voudront-ils encore des jouets<br>à Noël ? », Le Monde, 9 septembre 2012)

★

Cactus vient chercher chez moi sa chemise noire avec le col raide, il dit que c'est pour faire sérieux au Brésil, je réponds que ce n'est pas la peine de *faire sérieux*, que pourquoi vouloir paraître sérieux, et Cactus dit : « Quand on n'est pas artiste, Arthur, dans la vie, il faut avoir l'air sérieux, sinon personne ne te respecte. »

★

*Plus je suis gardé, moins je suis protégé. Moins je suis gardé, plus je suis protégé. Qui suis-je ?*

★

Cette tolérance amusée envers les écrivains et cinéastes grand public relatant le désir d'un héros de huit ans pour le sexe ou les seins de sa mère ; de sa nourrice, de la grande sœur d'un copain de classe — et, plus généralement, de toutes les dames. Imaginons une seule seconde, dans telle œuvre populaire, partager les pensées d'un garçonnet fantasmant sur la queue du père de son meilleur ami, du boulanger, du professeur. Telle séquence, tel chapitre seraient aussitôt dénoncés, leur auteur inculpé de *penchants pédophiles*, son travail relégué par les critiques mondains (dans le meilleur des cas) au rayon des récits *dérangeants*. Si ce contraste traduit sans doute la méconnaissance du désir homosexuel, le poncif des mâles juvéniles convoitant la poitrine de presque *n'importe quelle femme* rappelle qu'une seule variété d'inceste est légitime.

★

Matelot : « Hier, on s'est dit des choses... On était à *ça* du je t'aime. »

★

Je demande à Rouge de me poser onze questions sur mon rapport à la sexualité dans l'enfance, onze questions dont il aimerait connaître la réponse :

1. Faisais-tu des rêves érotiques ?
2. Rêvais-tu de voir ton sexe changer ?
3. Te souviens-tu de la première fois où tu as pu comparer ton sexe à celui d'un autre ?
4. Un aliment t'excitait-il ?
5. Une odeur t'excitait-elle ?
6. Étais-tu attiré sexuellement par un adulte ?
7. Savais-tu comment deux hommes faisaient l'amour ?
8. Étais-tu excité par le corps d'une femme ?
9. À quel moment le sexe est-il devenu un tabou ?
10. Te souviens-tu de ta première éjaculation ?
11. Quelle est la première image qui t'a excité ?

★

La sœur de la mariée m'explique : « On a appelé la table d'honneur *Noces d'eau* parce que c'est cent ans de mariage. Enfin, c'est surtout pour la touche aquatique, parce qu'il n'y en a pas beaucoup qui doivent les atteindre. (*Un temps.*) Mais avec les progrès de la médecine, on verra. »

*

[*Bientôt.*] Me lasse de Jean d'Oubli, de son masque qu'il n'ôte presque jamais, de cette distance dans la câlinade qui me semble si peu naturelle ; je chausse des bottes, je pars à la chasse aux papillons, aux champignons, quand j'ai de la chance je reviens avec une amanite d'épaules serrées, un Damier de la succise au goût de baiser salivé. C'est une cueillette qui ne rassure pas : toujours le risque de la bredouille, à moins de braconner (et je n'aime pas le braconnage).

*

Il dessinait sans cesse des carrés, des cercles, des triangles ; elle trouvait que tout cela manquait un peu de cœur.

*

24. Il n'a plus de prénom. Nous sommes voisins de classe. Comme je parle souvent de lui dans la voiture, ma mère propose de l'inviter à la maison. La veille, nous préparons un roulé au Nutella qui se brise à l'étape du roulement. En début d'après-midi, le mercredi suivant, son beau-père sonne à la porte. Cependant que nos tuteurs pratiquent leur diplomatie habituelle, nous filons dans ma chambre.

Les jouets ne procurent pas seulement aux enfants leurs premiers désirs de choses, mais d'infinis sujets de conversation. Négligeant les intrigues qui plus tard animeront nos vies d'adultes, le dernier modèle d'une figurine Batman ou la faculté d'une voiture télécommandée de se renverser sur elle-même en percutant un obstacle générent de sérieux raisonnements. Une fois les thématiques mécaniques et superhéroïques épuisées, des questions récurrentes peuplent le langage enfantin. En premier lieu : *Tu vas faire quoi quand tu seras grand ?*

Si j'ai oublié ma réponse, j'entends encore la sienne, distinctement peut-être en raison de l'histoire qui va suivre. Puisqu'il souhaite devenir médecin, il serait sage, selon moi, de s'initier *ensemble* à la pratique chirurgicale. Je propose d'édifier un bloc opératoire de fortune dans *la salle de bains du haut*. Sceptique un instant, il cède à ma requête en demandant *quelles maladies* s'opérer réciproquement. Nous gambergeons à la recherche de pathologies rares (les mots adéquats nous font défaut) : chacun dispose d'un patient en trop bonne santé.

Pour nous mettre sur la voie, j'ai l'idée, dans un premier temps, de rassembler les ustensiles qui pourraient nous servir. Fourrageant dans l'armoire à pharmacie, je ne dégote qu'une seringue et un paquet de compresses stériles. Le premier instrument délivré de son film plastique, il convient d'attribuer une cible à sa pointe. Pour une raison aujourd'hui impénétrable, cette destination finit par être le testicule gauche de mon récent ami. L'image de l'aiguille s'enfonçant au ralenti dans sa chair si tendre, raffermie par la peur, ne me quitte pas.

Mon patient est professionnel : il accepte son traitement avec dignité. Mais lorsqu'un filet de sang commence d'éclabousser le marbre gris, il se rhabille en hâte et exige de rentrer chez lui. Le lendemain, la maîtresse nous annonce qu'un élève a changé d'école. Il n'a plus de prénom. En ai-je encore un pour lui ?

Le jour de ses seize ans, sa mère le convoque et lui dit : « À présent vous êtes un homme, vous devez connaître la vie. » Elle fait coulisser la porte d'un petit salon, où une prostituée attend son fils. Elle l'y fait entrer et rouvre la porte une heure plus tard. La semaine suivante, la mère convoque de nouveau le fils, fait coulisser la porte du même petit salon, où un associé de son époux, connu pour ses mœurs versatiles, sirote un verre de brandy. Une heure plus tard elle rouvre la même porte, raccompagne poliment l'associé de son époux jusqu'au portail de leur demeure, rejoint son fils et lui dit : « Maintenant vous savez l'une et l'autre chose. Il vous appartient de choisir. »

★

Jean d'Oubli : « Quand j'étais au catéchisme, le prêtre m'avait chargé de mettre en route la musique pendant la messe, je devais insérer un CD d'*Ave Maria*, appuyer sur « Play » et contrôler le volume. Un jour, pour faire une blague (j'avais douze ans), j'ai lancé *Like a Virgin* de Madonna : la chanson a résonné une bonne minute dans l'église avant que le prêtre ne débarque, rouge de colère. Il s'est hâté de remettre l'*Ave Maria*. Mon blasphème partait pourtant d'une bonne intention : c'était gentil pour Dieu, cette histoire de Vierge. Plus tard, j'ai appris que Madonna ne faisait pas référence à Marie, mais à son mec du moment, un acteur porno tellement bien membré qu'à chaque fois qu'il la baisait, à cause de la douleur, c'était à nouveau comme une première fois — *like a virgin*. Mais est-ce que le prêtre savait ça ? »

★

Une étudiante s'étonne : « Quand tu penses que dans *toute son œuvre*, qui est immense, Thomas Bernhard n'a pas une seule fois parlé d'amour, ou de sexualité ! »

★

Elle l'a vue de dos — elle n'a vu que son dos — et elle est tombée amoureuse de ce dos ; amoureuse de *l'espace autour de son dos.*

★

*Plus je suis gardé, moins je suis protégé. Moins je suis gardé, plus je suis protégé.*
*Je suis un secret.*

★

Débardeur : « Aujourd'hui j'étais à la Sorbonne (pour ma permanence hebdomadaire à la bibliothèque du Centre d'histoire du XIXᵉ siècle). Il y avait la galette des Rois de l'UFR. J'y suis allé. C'était glauque. Le pire est que j'ai eu la fève. Ne voulant choisir un roi dans cet aréopage sénile, je l'ai discrètement glissée dans ma poche. »

★

Tel lutin m'explique : « J'ai commencé à fumer pour la fumée. J'ai continué de fumer pour la même raison : regarder la fumée. J'aime fumer dans les appartements hauts de plafond, où la fumée monte beaucoup avant de se désagréger. »

★

Elle raconte que la douleur est une verveine, qu'il faut qu'elle *infuse*; qu'on ne saurait la boire trop vite sous peine de se brûler la langue.

★

Glamour : « Cette barbe grise me vieillit terriblement. Je vais demander au coiffeur de me la teindre en plus foncé, qu'est-ce que t'en penses ? »

★

Changer de carapace (pas de tortue).

★

**25.** La composition du sperme, sa matière et sa substance constituent dorénavant un sujet de recherche de premier ordre. Ce n'est pas encore l'époque où l'on vérifie toute chose sur Wikipedia. La vérité réside dans les livres. Au collège, Bastien me demande si *j'ai trouvé.*

Commence une traque de tous les instants, orientée vers le monde extérieur — comme si j'avais oublié que la réponse était en moi. À table, j'examine les aliments à la recherche de pâtes molles, de sécrétions ou d'écoulements qui me permettront de donner le change dans la cour des grands. Les figues pas mûres pleurent une colle trop liquide, le gras autour de la bavette est compact. Je tourne en rond.

Mes propres jouissances ne donnent aucun fruit : je cherche sur mes draps l'éclat qui aurait échappé à ma cognition, ou à mes sens. Loin de me figurer un liquide délivré par le corps en petite quantité, le sperme est pour moi un cube large comme une cerise, excessivement blanc, tremblant de toutes parts lorsqu'on heurte son socle (façon *jelly* anglaise).

Un soir, à la sortie des cours, je tends l'oreille en direction d'un groupe de *grands*, élèves en classe de quatrième. Je reconnais le mot magique. Faisant mine de nouer mon lacet, je m'accroupis et ramasse, par miracle, l'information manquante : « Quand tu jouis c'est comme de la morve. » Une image résout parfois un monde.

Les jours suivants, je m'attarde dans mes mouchoirs. On me demande si je suis enrhumé. Je n'ai pas encore savouré mon tête-à-tête avec Bastien. Je me sens doté d'une arme imparable. Tout est léger, les mathématiques, la grammaire, le dos crawlé.

Vient enfin mon heure. Sur le chemin du club de tennis, c'est lui qui aborde le sujet. Est-ce que je sais ? Est-ce que j'ai vérifié ? D'un ton détaché, comme si c'était l'évidence même, je dis : « En fait c'est un peu comme la morve. » Bastien est soufflé. Il confirme et sourit. Nous arrivons devant les cours de terre battue. Je suis un grand.

Dans ce café comme dans la vie, cette envie récurrente de commander un verre de rien.

                                        *

Ainsi qu'à chaque solitude profonde, deux jours perdus devant les images de chair, yeux injectés de torpeur, la fatigue pour cortège. Je ne me morigène plus. Une partie du temps appartient au temps perdu (mais je dois apprendre à maintenir sa sporadicité, ne pas m'attacher au gouffre comme à une personne).

                                        *

Suivre des yeux la fumée jusqu'au moment où sa trace s'est décomposée — on n'a pas identifié le point de rupture, on pensait que la trace disparaîtrait par progression.

                                        *

Fou d'enfance : « Le vivant est *imphotographiable*. »

Je ne sais s'il va me rejoindre. Je lis *Les chênes qu'on abat*. Malraux est mégalomane, emphatique, gluant, fasciné par la grandeur — et par rien d'autre. Je ne comprends pas le projet de son livre. Page 100. Je reçois un SMS : il arrive. Je continue la lecture d'un livre qui, soudainement — est-ce ma disposition d'esprit ? —, me paraît puissant, *bâclé au plus haut niveau et extraordinairement lisible* (ainsi que l'écrivit Nourissier). Un homme vit au-dessus de l'Histoire. Malraux englobe le temps davantage qu'il n'est englobé par lui. Face à mon café bu, je ne sais ni ce qui m'englobe ni ce que j'englobe, et je l'attends.

★

Fou d'enfance : « Alors pourquoi ne pas photographier les dieux ? »

★

— Tu vas me faire quoi ?
— Je vais t'obéir.

★

Mon petit secret de moi-même, si je ne le partage pas avec quelqu'un, je le partage avec qui ?

★

« *Il n'y a que quarante ou cinquante personnes au monde*, écrit Ilarie Voronca, me rapporte Travesti. Et c'est vrai, continue-t-il. Entre l'homme marié, le vieux pervers, le religieux coincé dans sa religion (et j'en passe), j'ai moins de clients que de profils. Ilarie Voronca a eu une vie très triste, c'était un juif roumain persécuté par les nazis, il s'est suicidé. C'était un bon poète. Je crois que la vraie phrase est : *On dit qu'il y a des milliards de personnes au monde et c'est faux. Il n'y a que quarante ou cinquante personnes au monde ; mais qui ont des milliards d'aspects.* C'est beau, non ? »

★

Se demander où vont toutes les choses que les écrivains ne jugent pas dignes d'être écrites dans leurs livres.

★

Am me montre le site Web d'un bar organisant des soirées gays *extrêmes* et thématisées. Des clones aux crânes rasés se donnent rendez-vous dans une cave. Ils sont vêtus de cuir (ou de latex). Les soirées portent chacune un nom : « Grande Marée » (des algues recouvrent le sol, poissons et crustacés participent à l'orgie), « Crade à la décharge » (bennes à ordures renversées, sacs poubelles éventrés). Face au gros plan sur l'anus d'un homme en treillis militaire sodomisé par un jarret de porc, je me fais la remarque que Michel Houellebecq n'a peut-être plus besoin d'écrire.

★

26. Impatiente, ma petite sœur m'a réveillé trop tôt. Les parents n'ont pas encore eu le temps de cacher les œufs de Pâques. Comme je ne suis plus un bébé, on m'enjoint en souriant de *rester* dans ma chambre, durant *le passage des cloches*. J'aime particulièrement la petite friture au chocolat blanc orangé, et les œufs en sucre qui ressemblent à de vrais œufs.

Téméraire, j'exige de ma sœur qu'elle attende *en jouant* tandis que je mets les voiles vers la chambre des parents, afin de me pencher à leur fenêtre pour voir où l'on cache les œufs. J'aperçois à cet instant deux personnes pénétrant dans la propriété et serrant la main de mon père. Tous deux portent des costumes intégraux d'animaux : un lapin, un kangourou. Mon père signe un reçu que le kangourou range dans sa poche. Sans attendre, les deux bêtes chaussent leurs masques et se mettent à fureter dans le jardin à la recherche de cachettes. Ma mère applaudit en riant. Par réflexe, j'applaudis aussi. Sidérée, elle lève la tête, m'entrevoit, et se précipite dans la maison.

Le coloriage débuté le temps qu'elle arrive n'apaise rien : j'ai vu l'interdit. Ma mère est terriblement déçue.

Je promets que j'ignore où sont les œufs, que je n'ai rien vu, que j'étais allé prendre l'air. Elle n'écoute plus : je l'ai anéantie.

La collecte des œufs est morose. Dans son coin, mon père s'est remis au jardinage. Ma mère dit : « C'est pour ta sœur qu'on n'annule pas tout. » Je n'ose trouver aucun œuf (même quand j'en trouve vraiment un). J'indique furtivement à ma sœur quelques cachettes. Elle s'y précipite, joyeuse, m'embrasse et entrepose la trouvaille dans son panier. L'atmosphère, par degrés, s'adoucit.

Sur la table de la cuisine, nous déployons le butin. Des bonbons variés se mêlent aux chocolats. Mes yeux se posent sur un lapin fourré : reparaît l'image des gros animaux. Que mes parents leur ont-ils dit ? Mon espionnage explique-t-il leur volatilisation ? Je vire de bord : ma mère m'observe — et détourne ses yeux de moi. L'intuition d'une mise en scène surgit tout à coup, comme s'il avait fallu professer, à travers un dispositif théâtral, les avantages et les inconvénients du regard à la marge.

Bien-Être : « Je ne peux pas dormir contre un garçon dont je suis amoureux. Sa présence est tellement envahissante qu'il me faut conserver une distance dans le lit. En revanche, je n'éprouve aucune difficulté à dormir très serré avec un plan cul. »

★

Jeune Homme : « La scène aurait dû être bouleversante, la dramaturgie l'était, Fleur entrait en scène et découvrait la terrible vérité, c'était poignant — seulement dans la salle, contrairement à nos attentes, personne ne pleurait. Nous ne comprenions pas pourquoi. Une nuit je me suis réveillé à trois heures du matin, j'avais saisi : nous pleurions *à la place du public*. Le lendemain, Fleur a retenu ses larmes, et toute la salle se mouchait. »

★

## Journal du 17 mai 2001

*Histoire énorme à cause des jus de fruits ouverts trop tôt :
Maman. Elle dit ses 4 vérités et je sais qu'elle n'accepte
pas l'homosexualité : « Tu m'as expliqué que tu ne pouvais
pas retenir tes pulsions hein ? » J'ai écrit aux parents de Léo
pour les remercier. Et à lui aussi. J'ai 2 super idées de
cadeaux pour ses 17 ans ! Thibaut vient travailler la magie
ce soir. Papa est allé acheter des géraniums avec Hector.
Maman est allée chez le coiffeur et va à une conférence de
paléographie jusqu'à 20 h.*

*

Salopard : « C'est non seulement le plus beau coiffeur
de France, mais aussi le plus beau garçon de Marseille.
Il n'a jamais pensé à faire autre chose que coiffeur. Ma
grande sœur (qui a l'habitude de travailler avec des mannequins) se moquait de moi, puis elle l'a vu. Elle est
tombée en extase devant ses yeux. En revanche il sham-
pouine très mal. »

*

Jean d'Oubli pose ses yeux sur une toile dans mon
salon (la peinture représentant le torse d'Am). Il dit que
si nous vivions ensemble, il ne saurait cohabiter avec
une image de mon passé trônant *comme ça au milieu*. Je
réponds qu'on n'habite pas ensemble et que, de toute
manière, *c'est de l'art*, que cette remarque ne lui ressemble pas. Vang, qui a peint le tableau, me conseille de
l'encadrer : « Le cadre sacralise l'œuvre. Ce ne sera plus
un corps, ce sera une pièce accrochée au mur. »

★

L'esthéticienne asiatique me tend un ouvrage à la couverture blanche, sans illustration. Je l'ouvre sur un paragraphe détaillant les « 32 signes de prestance » dont devra être doté le corps des « êtres sensibles dans le monde des dix directions », une fois que ceux-ci auront « pris renaissance » au sein du Royaume potentiel de tout futur Bouddha :

1. Pieds et mains marqués d'une roue.

2. Pieds solidement posés au sol comme ceux d'une tortue.

3. Mains et pieds couverts d'un réseau.

4. Paumes des mains et plantes des pieds douces et tendres.

5. Sept éminences sur le corps : aux pieds, aux mains, aux clavicules et à la nuque.

6. De longs doigts.

7. De larges talons.

8. Une grande taille et la droiture du corps.

9. Les chevilles non apparentes.

10. Les poils dressés.

11. Les mollets semblables à ceux d'une antilope.

12. De longues et belles mains.

13. Le sexe caché dans une gaine.

14. La peau de couleur dorée (en premier lieu).

15. La peau ferme et douce.

16. Chaque poil enroulé vers la droite.

17. Le visage orné d'une touffe de poils enroulés entre les sourcils.

18. La partie supérieure du corps comme celle du lion.

19. La tête et les épaules bien rondes.

20. Les épaules larges.

21. Une grande subtilité de goût.

22. Le corps aux proportions d'un banyan.

23. Une protubérance au sommet de la tête.

24. Une langue longue et mince.

25. Une voix mélodieuse comme celle de Brahmâ.

26. Des mâchoires semblables à celles d'un lion.

27. Des dents blanches.

28. Des dents sans espace entre elles.

29. Des dents disposées de manière égale.

30. Quarante dents au total.

31. Des yeux de couleur bleu saphir.

32. Des cils comme ceux d'une génisse.

**27.** Combien de fois je fourrage dans l'armoire parentale pour me parer de bijoux et descendre *devant les invités*, danser quelque rumba vêtu d'un pagne ou d'un boubou? C'est moins le présage qui angoisse ma mère que la fragilité de ses accessoires : tout travestissement coûte au minimum un ressort de boucle d'oreille, le coudage d'un bracelet métallique, le bris d'un fermoir de collier (lorsque ce ne sont pas les perles du collier qui éclaboussent le carrelage).

J'ai douze ans à la sortie de *Billy Elliot*. L'homosexualité n'est pas encore un sujet; le film plaît à tout le monde. Michael, l'ami de Billy, essaie les robes de sa mère en cachette, et se maquille — comme le petit Arnold dans *Torch Song Trilogy*; comme tant d'autres avatars d'un archétype que je n'identifie pas encore. Billy gagne son combat contre la boxe, devient danseur étoile. Michael ne se remet jamais de son départ. Ma mère dit : « Ce qui est bien, c'est que le héros n'est pas homosexuel. »

J'enchaîne durant des années les sports de combat, certes avec moins d'embarras que le pauvre Billy

159

chaussant ses gants. C'est même à ma demande (ayant vu un film de Bruce Lee) que mes parents m'inscrivent *au kung-fu*. J'ai déniché le club La Mante verte, fondé par le maître asiatique Honk Kong Luong, champion du monde 1997 autoproclamé, qui accueille spectaculairement ma mère : à peine a-t-elle passé le perron de l'établissement qu'il pousse un cri, et propulse son poing à une distance infinitésimale de son nez. Honk Kong Luong dit, avec l'accent adéquat : « C'est *cette maîtrise* que je vais enseigner à votre fils. » Le maître se volatilisera en milieu d'année, laissant pour seule trace un avis de passage d'huissier plaqué sur les volets fermés de la salle d'entraînement. J'apprends le mot *saisie-vente*.

Au fond de moi, une envie qui date d'avant *Billy Elliot* m'obsède : faire de la danse classique. Je n'ose en parler à quiconque, par crainte que mon père l'apprenne (comme si ce désir signifiait autre chose, une chose plus grave que de passer les robes de ma mère).

Les contours se dispersent. Je repêche la devanture d'un bistro jaune, un accrochage en Twingo, la douceur de la peau de ma grand-mère, la gélatine des desserts chinois vert et blanc, une imitation ratée de l'accent martiniquais pour laquelle on m'applaudit quand même.

Mail de Fou d'enfance : *Dépit que le temps passe si vite. Quel peu d'égards pour tout ce dont nous le nourrissons...*

★

Son tee-shirt à la mode est gris, son pantalon tire sur le gris, ses Converse sont grises. À son poignet, un bracelet composé de deux boulons et d'un écrou. En haut : cheveux courts et foncés, visage anguleux, peau blanche. Il est sérieux comme un concept (le concept du beau). Avec solennité il passe en revue les chansons de son iPod. Jamais ne lève la tête. Ne module pas son expression. Il m'évoque la rudesse et la beauté d'un vallon des Pyrénées (en automne).

★

Matelot : « Pourquoi ne fait-on pas l'amour avec quelque chose d'autre que son corps, c'est très engageant, le corps, tu ne trouves pas ? »

*

Talon m'envoie un extrait de son journal : « Notre relation a toujours évolué très rapidement (ensemble à l'issue de la première rencontre, présentation aux parents pour Noël, puis ces deux semaines passées ensemble). Ça m'évoque un film qui défile en avance rapide, avec des dialogues hachés, inintelligibles, des actions cafouillées, et j'ai déjà l'impression d'en être aux quinze dernières minutes. Celles de l'ennui, celles où l'on sait qu'il ne reste plus grand temps pour en finir avec l'intrigue, où l'on cherche un dénouement. »

*

La couleur d'une couleur.

*

Bord Cadre : « Le premier métier que je voulais faire, c'était ange. Ensuite, à quatre ans, j'ai vu un film érotique du dimanche soir (et j'ai voulu devenir acteur porno). »

*

« David éprouva la plus horrible des humiliations. Celle que cause l'abaissement d'un père. »

(Balzac, *Illusions perdues*)

*

162

Il est tout de suite beau, mieux que beau, son prénom est beau, il a douze ans et demi, une bouche et des lèvres immenses qui rappellent celles du Joker, c'est un vrai garçon, il écoute les adultes, comme métier il a pensé à faire *démêleur de scotch*, parce qu'il est doué pour rattraper les rouleaux découpés à moitié ; il est poli et il aime l'art, sa mère nous confie, à Bien-Être et à moi, qu'il est un peu *différent des autres*, qu'il se met *doucement au foot* dans le but d'intégrer *une bande*, il est allergique au poisson et à la galette des Rois, ses grands-parents ont disparu dans la tragédie du tunnel du Mont-Blanc. Enfant — comme il est né juste après —, il a demandé à sa mère : « Est-ce que je suis là pour les remplacer, à cause de l'incendie ? »

*

Sa mère nous lit quelques lignes de l'essayiste Maurice Pinguet, qui a beaucoup écrit sur le Japon. J'enregistre sa voix avec mon téléphone, le timbre est légèrement vibrant, solennel, comme pour l'importance ; deux heures plus tard, dans le train, j'écoute l'enregistrement : *Pour se mettre à écrire, il est bon de sentir devant soi l'urgence d'un délai qui approche. Sinon, on se contenterait de rêver longtemps aux pages à venir.*

*

28. Le plan d'action est en marche. Investi dans mon rôle, j'interprète ma scène en solitaire, et fais mine d'achopper sur un mot inconnu dans le roman que je compulse : « orge ». J'appelle ma mère à la rescousse, qui se coiffait, qui m'explique que lorsqu'on ne connaît pas un mot, *on cherche dans le dictionnaire* (ma mère dit : « Quand je ne sais pas quoi lire, je lis le dictionnaire »). L'instant d'après, elle reparaît avec le *Petit Robert*, et m'incite à chercher moi-même la signification dudit mot. Je feuillette le gros volume, de lettre en lettre, jusqu'à parvenir à la bonne page, à la bonne définition.

[*Orge*, nom commun féminin, du latin *hordeum*, bot. : céréale à paille utilisée pour nourrir les animaux et produire de la bière, caractérisée par un chaume noueux dont la fleur constitue un ensemble d'épis. *De l'orge bien levée / Des épis d'orge*.]

C'est donc une céréale, reprend ma mère avec douceur — voilà comment l'on s'instruit lorsqu'on ignore quelque chose. Alors qu'elle s'apprête à refermer le dictionnaire et à regagner la salle de bains, je l'interpelle, comme surpris : j'ai aperçu un mot sur la page, un peu

164

plus haut qu'*orge*, un autre mot dont je ne connais pas la signification — « Bien sûr chéri, lequel ? » demande ma mère ; et moi : « *Orgasme* ».

*Point culminant du plaisir sexuel.* Maintenant c'est elle qui a besoin d'un dictionnaire. Ma mère referme le *Robert*, s'assied plus confortablement, et prend sa respiration. Elle trébuche. « Certaines personnes, se lance-t-elle, éprouvent un certain plaisir à faire certaines choses. » J'ai effleuré les lisières d'un terrain étrange, pas proscrit comme les bêtises, mais qui n'existe pas.

Ma mère sort. Le silence du mercredi après-midi refait surface. Je feuillette d'un doigt les pages du roman que j'ai précédemment tiré du grenier. Vainquant les éternuements de poussière, j'en ai ouvert une bonne centaine avant de repérer une page contenant un mot qui commence par « or- » — et même « org- », à mon aubaine. Repassant la fraîche saynète, je suis surpris que ma mère ne m'ait point questionné sur ma lecture — entre deux albums des Schtroumpfs et de Gaston Lagaffe — d'*Au bon soleil. Scènes de la vie provençale* de Francis de Miomandre, prix Goncourt 1908.

*Il y a ce vieux Juif, pareil aux portraits de la rue des Rosiers, le dos voûté, les yeux plissés, comme riant perpétuellement d'une plaisanterie qu'il serait le seul à comprendre. À presque cent ans, le vieux Juif sectionnait encore des pierres roses, blanches, et jaunes pour les princesses et leurs imitatrices du monde entier. L'année dernière, une broncho-pneumopathie chronique obstructive a eu raison de lui. C'est une maladie de fumeur. Seulement le vieux Juif ne fumait pas. Ce qui l'a tué, à la longue, ce sont les milliards de particules de diamant déposées sur les muqueuses de ses bronches. Je devine sous sa poitrine des poumons sertis de joyaux, miniatures grottes inestimables.*

*[…]*

*Si les impressionnistes avaient connu la photographie numérique, combien d'heures auraient-ils perdu à observer en très gros plan le grain d'une peau, l'infinité de ses nuances, l'encre des poils pas encore éclos, le mauve du temps et de l'alcool, les pigments de l'enfance, telle cicatrice invisible, telle cavité secrète, tels astres morts luisant sur la chair étoilée ?*

[...]

*Trois versions du* Champ de blé avec cyprès *furent composées. Il semble probable que Van Gogh soit parti d'une seule toile, multipliée ensuite. Le cadre, le sujet, et la torsion des nuages au-dessus des arbres ne diffèrent pas. Seul le soleil varie, dans son intensité et dans sa teinte. Au fond de son asile de déments, Vincent explique que la lumière embrase moins le monde que la mémoire. Que ce qu'il reste à colorier, c'est le contour d'un souvenir.*

[...]

*On me demande* comment j'étais amoureuse de lui, et je *réponds sans réfléchir : «J'étais amoureuse de ses oreilles. »*

[...]

*Il y a ses affaires, son odeur de transpiration après le jogging, les livres cornés à certaines pages, l'ordre des livres, le classement des cravates, ni par motif ni par solennité, les chemises dépliées pas mises, ses poils et ses cheveux noirs éparpillés dans les draps.*

[...]

*Le portrait d'un vivant duplique son image. Celui d'un mort parle. Chaque message d'Edgar sauvegardé sur ma boîte vocale prend la forme d'une dissection, dans le secret de ses secrets.*

[...]

*Dans une émission sur les Écrivains du siècle, Julien Green confesse à Pierre Dumayet combien l'obscurité lui faisait peur enfant :* « J'avais l'impression que le noir se refermait derrière ma bougie, qu'il n'attendait que mon passage pour se reformer. »

29. Il faut bien une première image, là où toutes se confondent. Il y a les multiples scènes de masturbation dans la baignoire, où la main se pose sur le sexe, où les yeux se plongent dans l'opaque des paupières closes. On se concentre et, tout à coup, la raison pour laquelle on s'est concentré se dissout, le plaisir traverse un petit corps ; et la même question surgit machinalement, édictée à voix haute dans le vide de la salle de bains, comme une prière, comme pour émouvoir plus sûrement quelque instance décisionnelle : *Pourquoi ce plaisir est réservé aux adultes ?*

À chaque fois me saisit l'injustice de cette affaire à laquelle je n'ai pas droit, simplement parce que je suis peu vieux. J'ai conscience que mon mécanisme ne constitue qu'un avant-goût. Qui a décidé, un jour, que les *enfants* seraient tenus à l'écart du plaisir qui domine tous les autres ?

Peu à peu, le noir derrière les yeux fait place à des formes psychédéliques, qui me semblent l'origine de la vie. Et soudain, après telle jouissance, au lieu de reprocher au monde ma proscription, je m'exclame sans y penser : « Laura je t'aime ! »

Laura est brune, elle rit beaucoup. Pour son anniversaire, j'ai fabriqué un porte-brosse à dents en mousse — et j'ai peu dormi la veille, de peur qu'elle n'apprécie pas. Dans la baignoire, l'habitude s'installe de déclarer ma flamme à Laura immédiatement *après* l'orgasme, comme si l'amour véritable était à même de justifier mon geste clandestin.

En famille, c'est exclusivement sous le prétexte du rire qu'on évoque l'amour ou les amoureuses : on s'en taquine ; le badinage est une gentille honte. Le domaine de la sexualité, lui, appartient aux gros mots.

Je découvre par hasard que la pression d'un doigt sur l'anus accentue mon agrément. Cela me paraît la rationalité même : en circuit fermé, le plaisir résonne mieux au-dedans. Je n'en perds plus une miette. Ma mère me recommande de ne pas grignoter entre les repas (m'étant subitement pris de passion pour les bananes naines et les Knacki Herta). Avec l'usage, je réalise qu'il n'est pas indispensable de rendre hommage à mon amoureuse à chaque occurrence du plaisir. Par acquit de conscience, j'inscris toutefois, dans le plus grand secret, sur la bordure interne de ma boîte à termites, la brûlante confession : *J'aime Laura.*

Travesti s'improvise sociologue : « J'ai une théorie, mais il ne faut le dire à personne, ça découragerait trop de vocations. Quand une femme s'est fait faire deux enfants, elle jette son mec. Dès qu'elle a eu ses gosses au pluriel, elle fait *tout, tout, tout* pour qu'il se casse ! Ce n'est pas de la méchanceté, c'est l'instinct : les lionnes agissent de manière semblable. Quand un mâle a fécondé deux portées, elles en cherchent un plus dominant. Chez les hippopotames c'est pire : le père des enfants est d'emblée exclu du groupe, et meurt le plus souvent attaqué par un crocodile, dans d'atroces souffrances. Aucun membre de son groupe ne le protège. Ça me fait froid dans le dos. »

*

La photographie, la cuisine, l'écriture, la pêche à la ligne, l'amour : toutes ces disciplines où l'on ferre le hasard.

*

Bien-Être me fait découvrir une version étonnante d'une chanson d'Elvis Presley (*Are You Lonesome Tonight?*). Le titre précis est : *Are you Lonesome Tonight? (laughing version)*. La choriste étant souffrante, le bassiste du chanteur prend le parti d'interpréter la partition des chœurs (une partition aiguë, abondante en vibratos opératiques). À l'oreille, impossible de savoir qu'un homme chante (la performance est impressionnante), mais Elvis, qui ne s'y attendait pas, est progressivement saisi d'un fou rire. Il le ravale. Il le recrache. Bien-Être emploie une expression que je ne connaissais pas : « Il rit comme une baleine. » Les éclats de rire composent une musique de joie ; le morceau monte au ciel.

★

L'enfant aux grandes lèvres me fait visiter sa chambre. On y trouve une affiche d'Eminem, un poster de body-building, plusieurs dessins de lui. Je chancelle : l'odeur de sa chambre est l'odeur de Jean d'Oubli, je m'en imprègne (ne peux m'empêcher de me demander si ce n'est pas simplement l'odeur de l'enfance ; si l'enfance a une odeur).

★

Bien-Être : « Le cristal et le verre c'est presque la même chose — mais il ne faut pas le dire. »

★

171

Quatre choses qui m'émeuvent au cinéma :

— Le désir de réussite « dans la vie » d'un parent pour son enfant.
— Le fils déçu par son père.
— Un personnage retournant une foule qui ne lui est pas acquise.
— Un objet auquel un personnage idiot tient beaucoup, et qui se brise.

*

Jeune Homme : « Malheureusement, le bien-être n'est pas une somme d'extases. »

*

Mille rayures à la moindre relecture. Le sentiment de ne savoir écrire, un peu, que lorsque j'enlève tout.

*

Deux personnes se sont manquées, par exemple un père et un fils, et je ne sais si elles se sont manquées des années durant, parce qu'elles n'avaient pas la possibilité physique de se voir (tout en éprouvant un désir tel), ou bien si elles sont passées par le même endroit, à des moments voisins (sans en avoir conscience — en se *manquant* de peu) ; j'en conclus que si j'hésite entre deux images, c'est qu'il n'y a qu'une image.

*

Pour écrire un bon livre, demanda-t-il avec impudence, suffit-il d'avoir des amis bavards ?

★

Elle ajoute : « On est l'enfant de son enfance. »

★

**30.** Les parents nous appellent avec ma sœur dans leur chambre. Ma mère caresse son ventre d'une main, mon père s'échine à masquer sa joie. Il dit : « Votre mère et moi avons une bonne nouvelle à vous annoncer. » Puis : « Vous allez avoir un petit frère. »

Je pense : *Je vais beaucoup l'aimer, comme ce sera mon frère, mais il y a des jours où je vais le détester, comme n'importe quel individu.*

Je demande à mon oncle ce que cela fait d'avoir un frère : « Je n'ai pas un frère, j'ai ton père, ce qui est différent. » Différent comment ? Mon oncle conclut : « Tu devrais le savoir, c'est ton père. »

Je regarde le ventre de ma mère. Il ressemble à celui de mon père, qui me tourmente. Je me suis juré de rester plat.

Il naît. On l'appelle Hector. Drôle de nom. Je le soupèse. Il n'est encore personne. Il est gentil. Une queue de poire enveloppée de cire rouge reste plantée dans son nombril.

Ma mère *prend ses distances* avec la chirurgie. Elle a aimé les foies et les reins, mais elle a une passion. Durant les premières années d'Hector, elle passe ses nuits à étudier l'archéologie grecque et byzantine. Nous sillonnons Athènes l'été, de cirque en cirque, de temple en temple. Parfois, ma mère revient de fouilles avec un tesson de couleur rousse, sur lequel persiste l'éclat d'une main, la forme d'un visage ; et son regard s'y oublie.

Le jour des dix ans d'Hector, ma mère abandonne *ex abrupto* l'archéologie et l'hellénisme. Elle dit que *c'est trop tard*, que c'est *derrière*. Je réplique qu'on étudie pour le plaisir, pour sa propre connaissance — seulement pour accéder aux *vrais chantiers*, elle le répète, il faut faire partie d'une équipe de *vrais chercheurs, être diplômée en la matière*; il aurait fallu commencer *plus jeune*. Malgré son argumentaire, j'échoue à comprendre cette interruption brusque de Grèce.

Hector apprend un jour le grec ancien, ma mère ne sait l'aider : elle a *tout oublié*.

Cette envie qu'en un instant tout le monde meure, mon père, ma mère, mon frère, ma sœur, mes amis, mes grands-parents, mes tantes, les poètes, les musiciens et les rêveurs, que tout le monde effroyablement hurle et disparaisse, pour qu'au moins *ce soit fait*.

★

Calembour le Vieux : « C'est facile d'aller bien quand on va bien. On n'imagine pas ce que ça signifie de ne pas avoir de désir, de ne pas pouvoir sortir de chez soi. C'est tellement évident de vivre, quand on ne ressent pas *ça*. »

★

Rechercher l'aimé dans le visage de l'ami de l'aimé, les expressions qu'ils partagent (l'ami de l'aimé est un ersatz).

★

Blouson Noir : « C'était un magazine sur la guerre d'Algérie, on voyait des mercenaires avec des prostituées, l'une d'entre elles était assise à cheval sur un capot de jeep et elle disait au soldat : *Viens là, sale garçon*. Cette phrase m'avait choqué. »

★

— Pourquoi écris-tu ce livre?
— Parce que je l'ai commencé.

★

Prendre la décision, même dans le cadre du récit numéroté, de mêler le vrai au faux, pour protéger le vrai (quoi protéger d'autre?).

★

Le savant calcul que cela est de contenir ses tropismes dans la limite des actes « à risque ». La violence physique est sans danger majeur du point de vue viral (Jésus ajoute : « Tends l'autre joue »), idem pour toutes les sortes de crachats (*quand il te crache dans la bouche c'est le même échange de germes que si vous vous embrassiez profondément*). Pour le reste, le site Web référent de prévention des MST indique à ses internautes (avec une attention particulière au placement des majuscules) : « Le Fist-Fucking ne présente pas de risque de transmission du V.I.H. si la main ne présente aucune lésion. » L'urine enrobe, on le saura, la moindre cacahuète publique.

Enfin les insultes, même les pires, n'ont jamais tué personne (ce serait trop facile).

\*

*La partie supérieure du corps comme celle du lion.*

\*

Dans un antidictionnaire à inventer : [*Agression sexuelle* : pluriel (ou singulier) de *rapport sexuel illégal* — ou bien : rapport sexuel avec une personne devenue par la suite non consentante.]

\*

Elle en veut au printemps de n'être *pas franc* (quant au mistral, il est devenu *imprévisible*).

\*

Fou d'enfance me demande de ne pas évoquer en présence de ses parents le film autobiographique qu'il réalise : « Ma mère a déjà écrit mon histoire, elle ne supporterait pas que quelqu'un d'autre se l'approprie, la raconte à sa place. »

\*

31. On accède à notre rue par l'avenue Jeanne; que l'on rejoint, lorsqu'on provient du centre de Lyon, en procédant à un tour de pâté de maisons. La petite voie est souvent vide, et la tentation grande de l'emprunter à contresens (pour s'éviter *le tour du pâté de maisons* — étant donné que nous habitons pratiquement à son extrémité). Ma mère ne commet jamais cette infraction; mon père régulièrement. Ma mère dit : « La sécurité en voiture, ce n'est pas un jeu. On ne sait jamais. Un malade peut arriver en face, à 100 à l'heure en Ferrari. »

Dans la voiture : Mozart. Face à moi : les ongles rongés du père. À côté : une ville silencieuse qui dérive. Le père m'interroge : ai-je appris des choses *intéressantes aujourd'hui*? J'évoque un poème de Prévert : l'oiseau dans la cage, l'oiseau d'abord, la cage autour. Il dit : « Récite-la-moi. » Je dis : « Je ne la sais pas par cœur. » Il conclut : « N'oublie pas de *relire* l'énoncé. » Deux silences. J'aperçois l'hôpital (signe d'arrivée imminente à la maison). Nous longeons la muraille du vaste complexe, atteignons l'angle de notre rue, que mon père s'apprête à emprunter à contresens. Je fulmine. *Maman a dit de ne pas le faire*. Et comme d'habitude : « On en reparlera quand t'auras ton permis. »

Après une halte en chambre, descendant déjeuner, je trouve mes parents rangés sur le canapé du salon. Mon père me commande de m'asseoir à son côté. Je m'exécute. « Pourquoi as-tu dit à Maman que j'avais pris la rue à contresens ? » Ripostant d'un ton aphone, je me défausse sur la logique : « Parce que c'est vrai ? » Mon père adopte une voix inédite : « Tu es un cafard en somme, un délateur, un commissaire du peuple, c'est ça ? » Je baisse les yeux. La voix de ma mère marmonne un *Jean-Marc* suivi de trois points de suspension. Sans prévenir, une baffe monumentale s'écrase sur ma joue. Mon père quitte le salon pour la cuisine, ma mère lance un *Jean-Marc* suivi d'un point d'exclamation. Je pose deux doigts sur ma pommette.

Pantois, j'effectue, seul, des tours du pâté de maisons. M'interdisant de pleurer, je me rappelle une émission de Jean-Luc Delarue sur les enfants battus, et déclare — malgré moi — une guerre décennale à la paternité ; ou bien une réplique à celle qu'il m'a d'ores et déjà adressée — malgré lui — croyant deviner la signature d'un pacte clandestin entre son fils et son épouse. La tragédie sera tautologique : mon père souffre de se sentir exclu d'une équipe qu'il a lui-même inventée ; et, ce faisant, il la cimente.

Persan : « Quand tu évoques la durée d'un couple gay, c'est comme les chiens : faut multiplier tout par sept. »

★

— En fait tout le monde l'adore, sauf ceux qui dépendent affectivement de lui.
— C'est drôle, quand tu parles de ton père j'ai l'impression que tu parles de mon père.

★

Travesti : « L'entre-deux, ça n'existe pas. »

★

Se demander comment les pères font des pères (et les mères des mères), en toute transparence.

★

Il a cinquante ans, il peut être tunisien, indien, kurde, kabyle. Tel un immuable buste de cuivre, il expose sa superbe. D'une main, le buste saisit un yaourt qu'il aspire en l'écrasant.

★

— Je suis à Bucarest, et il fait moins deux.
— Je suis à Paris, et il fait moins toi.

★

Téhéran, regardant la ville derrière la vitre : « Je n'imagine pas que ma mère meure avant mon père ; j'ai du mal à imaginer mon père seul. On se dit qu'un père, ça sait moins faire. »

★

Premier *plan cul*. J'ai dix-huit ans. Je ne comprends pas pourquoi on ne monte pas dans le lit-mezzanine du garçon, pourquoi il tient à ce que nous restions sur le canapé qui gratte pour nous sucer.

★

Glamour s'emporte au téléphone : « Ma mère vient d'acheter un faux portrait de Dora Maar pour 5 000 euros. C'est le personnage de la pièce de Montherlant qui se réveille un matin en se prenant pour Saint Louis ! Sais-tu selon elle ce qui prouve que c'est un vrai Picasso ? Qu'il n'est pas signé. »

Rien hasard par.

Le couple se reforme avec Cactus, sans qu'il en soit jamais question, comme une plante qui pousse.

Plus j'avance dans ce récit, plus grandit l'angoisse de ne me peindre que sous mon jour le meilleur (ou sous un jour favorable). Rouge dit : « En ce qui concerne l'écriture de soi, on est forcément juge et partie. » Il n'empêche : je négocie avec mon passé. J'attribue aux événements des mobiles. Quoi que j'aie fait, je fis bien de le faire, puisqu'ainsi les choses se firent. L'envie me prend d'écrire une page de *mal de moi*.

J'écris un premier mot; aussitôt suivi de sa justification. Je l'efface, je me tance à nouveau, pour me disculper autrement. Je sèche.

Bord Cadre rencontre, des mois plus tard, Jean d'Oubli. Il dit : « Tu avais raison, il est très beau. »

32. Je regrette de n'avoir pas de grand frère parce que je suis plus frêle que les autres, que *les grands* donnent des coups de pied dans le sac à roulettes que ma grand-mère m'oblige à remorquer pour éviter la scoliose ; et que j'ai l'impression qu'un grand frère est un meilleur ami en mieux.

Bastien est un succédané acceptable. Il sait plus de choses que moi sur les sujets de grands frères, il est adopté, ce qui lui confère un droit de rébellion dont je chaparde quelques miettes en spectateur. Il arrive que nous jouions au *médecin*. Il s'agit de s'étendre l'un sur l'autre (lui sur moi), dans un lit ou derrière les bosquets du club de tennis, pour l'entendre me demander : « Vous vous sentez mieux comme cela, monsieur le malade ? »

Le jeu se poursuit d'une semaine sur l'autre avec le même naturel, jusqu'au séjour dans la maison de campagne de Bastien. Réunis dans un même lit, le protocole médical se déroule ordinairement, lorsque je propose (pour davantage d'*efficacité*) d'ôter nos pyjamas. Deux sexes se hérissent sous leurs caleçons bariolés. Bastien réfléchit un moment, avant de décliner : c'est trop

184

dangereux, à cause des *maladies comme le sida.* Il n'a pas tort : je me range à sa décision.

Le renoncement campagnard solde la fin du jeu médical. Approche la rentrée en sixième. Le brassage de têtes est une source d'espoir : vais-je rencontrer, pour de bon, un meilleur ami ? Dès les premiers jours, mon regard se fixe sur un visage clair aux cheveux très blonds. J'aimerais lui parler mais j'ai peur qu'il rende tangible le piège que je ne lui tends pas.

Le garçon blond s'appelle Luc. Son prénom me fascine autant que son visage. Je le répète comme un cantique, jusqu'à être certain de son existence. Bastien accepte de transmettre à Luc ma demande d'amitié (il est trop tôt, selon lui, pour une requête en *meilleur ami*). À la sortie du collège, mon messager revient vers moi, réponse en poche. Luc a dit : « Pourquoi pas. » Je suis tellement heureux que j'ai envie d'annoncer la bonne nouvelle à Luc.

Glamour : « Je me suis fâché avec ma mère. Elle est vexée que je ne lui demande pas de nouvelles de son faux Picasso. »

★

Le regard de côté du courtisan qui sait ce qu'il fait.

★

Je sollicite Matelot, qui me connaît bien, pour recenser le plus franchement possible mes défauts. Je m'engage à les transcrire tels quels. Après moult hésitations, il finit par céder. Le lendemain, je reçois un SMS : *Pervers — Froid — Infidèle — Hypocrite — Pute — Méchant (moqueur) — Égocentrique — Désorganisé — Pas fiable — Ennuyeux — Profiteur — Satisfait. T'en veux encore?*

★

J'enjoins à Matelot d'être plus précis (je dis : « Donne des exemples »). Il m'envoie un mail :

*Pervers* : ...
*Froid* : au premier abord. Et avec les gens que tu ne considères pas, ne t'intéressent pas.
*Infidèle* : Joseph.
*Hypocrite* : modifier tes idées pour qu'elles correspondent à la situation. Dans tes couples par ex.
*Pute* : te vendre au mainstream / au facile pour le succès et l'argent.
*Méchant / moqueur* : avec Lola par ex. Quand tu me filmes aussi.
*Égocentrique* : ...
*Désorganisé* : ton appartement.
*Pas fiable* : impossible de compter sur toi pour un Rdv ou pour qu'un projet ou un service soit rendu à temps.
*Ennuyeux* : quand tu parles des livres que tu as lus en plein milieu d'une conversation. Ou quand tu veux lire les passages d'un livre.
*Profiteur* : tu te mets bien avec qui il faut se mettre bien :)
*Satisfait* : toujours content même quand ce que tu as produit est nul. Exemple : Le livre qui rend heureux :)

*

Jean d'Oubli se rappelle un fait divers, l'enfant de trois ans échappé de sa cabine dans un train-couchettes, mort en tombant sur les voies. *On en avait beaucoup parlé.* Jean d'Oubli dit : « J'étais dans ce train. » Et : « C'est un souvenir affreux ; j'avais huit ans, j'ai été réveillé par les hur-

lements de la mère. Le train avançait encore. Elle criait :
*C'est pas possible, c'est pas possible.* »

*

Retrouvailles avec Am dans un café de la rue Montorgueil. Je l'observe, je parle avec lui pour comprendre que rien n'a changé, qu'il m'en voudra toujours, de m'avoir rencontré, de mon départ, d'une montagne de choses qui ne sont plus dépendantes de nous. Soudain, une chanson italienne diffusée dans le café, qu'écoutait en boucle Cactus, s'infiltre dans ma pensée comme un rappel de ce pour quoi j'ai quitté Am. Deux temporalités se percutent. Un jour vient où l'on s'est assis plusieurs fois à la même table de café.

*

Le livre que l'on est en mesure d'écrire au moment où l'on n'a plus besoin de l'écrire — et que l'on écrit tout de même, partagé entre l'indulgence due à ses protagonistes, et la fidélité due à son propre passé.

*

Nuit insomniaque où la pesanteur du silence s'effondre autour de moi.

*

Les conseils de Chanson : *Ne pense pas trop l'amour. Tu as le droit, dans ce domaine, d'être premier degré. Merde!*

188

*Je n'aime pas que tu raisonnes avec trop d'humour quand tu veux lui dire des vérités, c'est vain, c'est encore plus audible. Tu te caches derrière l'humour et finalement il n'y a pas de place au sérieux quand le moment l'est. Ça ne peut pas être indéfiniment flou, et dans votre rapport, et dans vos objectifs... Ou sinon tu acceptes de vivre la boule au ventre, et la nuit et le jour.*

\*

C'est drôle, quand tu es gêné, tu ne réponds pas avec des mots.

\*

**33.** Le ciel est tendre, c'est le flanc d'une baleine qu'on voit danser la nuit sur les chaînes du câble. Il y a deux maisons aux toits clairs, des plages de sable clair, ce climat placentaire dénué de température; et surtout un bateau : mes parents et moi sommes invités pour un week-end au Cap-Ferret.

Les amis de mes parents ont un fils, qui est mon aîné de quelques ans, qui est beau. Ses cheveux sont bouclés, volumineux, sombres. En rivage de souvenir, s'échoue l'émotion de le voir, le désir d'être proche physiquement de lui, sans appétit de chair. La nuit, sa silhouette à la fenêtre du bungalow se découpe sur une passerelle de lumière.

Où les images partent-elles? Celle-là; et le corps touché en premier, et le miracle des fleurs à Moissac, et la variété des couleurs, et les rues de Lisbonne, et la glace à l'orchidée, et les idoles passagères? Ainsi que les feuilletonistes tirent à la ligne, je tire au souvenir; non pour célébrer un décorum, mais pour être certain de venir de quelque part.

Une telle excavation me pousse chaque soir, trois ans plus tôt, durant un mois, à pisser quelques gouttes dans

190

les éprouvettes offertes par ma tante pour m'initier à la fabrication des parfums. Les tubes dissimulés dans la boîte à questions « Tintin » (vidée de ses questions), je m'endors léger, sur les preuves de mon existence. Comme il est dit, ma grand-mère, souhaitant m'interroger sur la science amusante, déniche la collection inattendue. Une fois liquidées les preuves de mon existence, on m'interroge sur mes motivations. Je n'ai aucune réponse. Comme c'est un peu comique, l'épisode se termine allègrement.

L'eau est un lit de plumes. Les vagues s'amalgament à la coque du bateau. Tout est transparent. Nous ignorons, lui et moi, que je l'aime. Nous pêchons deux jours entiers à la palangrotte; je m'accroche avec concentration au bloc de liège que l'eau aspire. Mon épaule a le goût de sel. Les fonds abondent de crustacés, dont raffolent les adultes.

Chanson devient alarmiste : *Ce sera délicat, ce soir-là, de jouer aux drames. Tu vas devoir être un peu spectateur d'abord. Le regarder te regarder, l'écouter te parler, sentir comme il te touche... Être au théâtre et voir si tu passes un bon moment! Si la suite de la pièce t'intéresse ou si ça a l'air sans intérêt...*

\*

Comme un message d'Am peut me bouleverser : « Promets-moi que quand le monde explosera tu me garderas une place dans ton hélicoptère. »

\*

Jean d'Oubli : « J'ai rêvé que mon sèche-linge était cassé. J'ai honte. C'est le bas de gamme du rêve. »

\*

Jeune Homme était intime avec Simone Simon, l'actrice qui incarna Séverine dans *La Bête humaine* de

Jean Renoir. Simone est présente à l'enterrement de la mère de Jeune Homme. Elle verse une larme. Un mois plus tard, elle se rend chez lui pour prendre le thé et lui demande, pleine d'entrain, sur le pas de la porte : « Comment va ta maman !? » Jeune Homme se souvient : « Je suis resté bleu. »

*

Bel Horizon : « Matelot m'a toujours reproché de lui avoir dit *Je t'aime* trop tôt. »

*

Découverte réjouie de l'expression anglo-saxonne *white lies* — en français : *gentils mensonges*.

*

[Elle a changé le temps de la conjugaison, et ce n'était plus un mensonge.]

*

Persan : « Mes parents se partagent un téléphone portable. Quand je reçois un texto de leur numéro, je ne sais pas si c'est ma mère ou mon père qui m'écrit. Mais c'est pareil : j'ai l'impression d'avoir *un parent* qui se partage en deux. J'ai *exactement* la même relation avec l'un qu'avec l'autre. »

*

Presque Paul goûte son sperme d'une manière experte, comme un cuisinier vérifie son bouillon : le geste est burlesque. Il m'explique qu'il ingère toujours son sperme après s'être branlé, parce que *ça évite de nettoyer*, et parce que *c'est bon*.

★

« Ce qui est bien en Amérique, c'est que les jeunes n'ont pas l'impression que leur vie est finie quand ils deviennent adultes. »

(Arthur Penn, interrogé par Michel Ciment<br>pour Positif, en mars 1982)

★

Matelot lit le paragraphe sur Presque Paul et son sperme. Il cligne des yeux : « C'est drôle, j'ai fait ça des années puis j'ai arrêté du jour au lendemain. Je ne sais pas pourquoi. »

★

D'un camarade de CP je reçois ce message sur Facebook :

Salut Arthur tut e souviens ? on était copains de la primaire à Charles de Foucauld. Ma mère a acheté un de tes livre et tt de suite me suis dit à mais je connais J ai trouvé ça drôle, 20 ans après, bon en tt cas je suis content pour toi tu as bien commencé ta vie.

Je relis plusieurs fois la dernière phrase.

★

**34.** Mon père entre triomphant dans la cuisine. Avant même de déchirer la baguette de pain, il m'avise que je vais *faire du cinéma*. Il vient d'entendre une annonce à la radio : deux jeunes réalisateurs sont à la recherche d'un petit garçon *particulier*, un peu *dans son monde*, pour un rôle dans un court-métrage. Mon père a tout de suite pensé à moi, à mon *côté solitaire*.

Deux jours plus tard, ma mère et moi sommes assis dans une salle d'attente, face à trois couples semblables, qui disparaissent dans la pièce voisine lorsqu'on les convoque, puis la quittent quelques minutes plus tard en serrant la main d'un homme qui sourit beaucoup. C'est notre tour. Je me place sur une croix dessinée à la craie, devant un caméscope. On me demande de me présenter, on me pose plusieurs questions : *Un garçon peut-il jouer à la poupée ? Quelles raisons pourraient l'y pousser ? Le cas échéant, serait-ce légitime de se moquer de lui ?* Moi-même, *pourrais-je jouer à la poupée ?* Bien élevé, je verse dans le politiquement correct en rappelant que toutes les discriminations sont condamnables. Quant à la dernière question, je ne joue pas à la poupée, mais j'ai toujours *détesté les petites voitures, même en bois.* Derrière le caméscope, quatre yeux s'éclairent.

Le lendemain, au réveil, ma mère m'apprend que je suis sélectionné. Il ne faut pas deux heures pour que tout le collège en soit informé. Ma vie va changer : je cherche où se trouve Cannes sur la carte de France. Mes parents invitent les deux réalisateurs à partager un café ; qui me conduisent ensuite dans un magasin de jouets, pour répéter la scène du caprice que je ferai lorsque mon père m'empêchera d'y choisir une poupée Barbie. On m'apprend qu'un voyage en TGV est prévu (le *décor* de ma chambre se situe à Paris). Tout cela est ensorcelant.

Entre-temps, mes parents ont lu le scénario du film. Il est question du calvaire d'un petit garçon, incompris parce qu'il veut jouer à la poupée. Dans la scène finale, de méchants gosses volent ledit jouet et s'en servent contre lui comme d'un fouet. Mon personnage finit par s'étouffer en sanglotant dans la boue. Moyennant des tergiversations qui virent au drame, j'accepte de démissionner, contraint par mes parents qui invoqueront auprès de l'équipe les funérailles d'une vieille tante ; et me promettent en échange l'aquarium tropical dont je rêve depuis au moins deux semaines.

Je me souviens de tout. Je vais te chercher gare d'Austerlitz, tu portes un sac à dos, tu es échevelé, tu viens du Sud, nous rentrons en métro chez moi, rue au Maire ; à l'époque ça ne me vient pas à l'idée de héler un taxi, je n'ai pas d'argent, je suis fou de toi, j'ai sûrement étudié ma coiffure, ma mise (une chemise à carreaux), nous pénétrons dans mon appartement bleu canard, tu poses ton sac, nous sommes vendredi soir.

*

Se rappeler les éclaircies (se convaincre qu'elles étaient le soleil).

*

L'envie de frapper à la porte de tel souvenir fondateur en compagnie de quelqu'un, comme s'il était permis, physiquement, de visiter une scène passée à la manière des lieux de son enfance.

★

« J'aimerais que tu lises mon livre comme un cirque ambulant : avec ses vieux chevaux, son éléphant qui désobéit, son magicien pansu aux manches garnies de cartes et de pièces, sa trapéziste aux combinaisons écaillées. »

★

Matelot : « Je l'ai pris entre quatre yeux et je lui ai demandé : *Quelle est la différence entre un couple et vous ?* »

★

Journal du 12 juillet 2012

*Je dois écrire une pièce, je n'écris pas tellement. On écrit ce qui vient. J'ai passé la nuit avec plusieurs garçons récemment, sans la surprise d'une étincelle. Des nuits plus ou moins douces, avec leur maigre lot d'échappement, et l'idée, presque claire, que je ne saurai plus m'accommoder de la présence d'autrui. Que ma personnalité occupe trop de place, que les jeunes sont vides et les adultes trop pleins. Je sais que je me trompe, que je retomberai amoureux, forcément,* dès qu'on parle d'amour c'est avec jamais et toujours — *mais l'idée fait sa route. Le soir venu, comme d'habitude, je vérifie mes messages sur un site de rencontre : rien de neuf, quelques tissus en tissage, sans conviction. Les garçons pas beaux et un peu intelligents, les beaux à moitié idiots. Les poils. Il y a celui-ci sur Facebook, dont j'ai observé parfois le visage, qui semble me plaire, qui pourrait être différent, dont le sépia d'un portrait a retenu mon souvenir, dont le hasard me pousse, ce soir-là, à lui proposer un café. Il est d'accord : je donne mon numéro à Presque Paul.*

★

Ce qui m'ennuie dans le conte (sans parler de ses avatars contemporains), c'est qu'une forme de récit accapare le monopole de la lecture symbolique — comme si la vie quotidienne ne constituait pas, entre tous, un matériau propice aux mythologies.

★

Travesti, qui se travestit, détaille son point de vue sur le transsexualisme : « Avant-hier je rencontre une institutrice lesbienne qui veut se transsexualiser. Très bien. En quatre phrases, du tac au tac elle me dit : *J'en ai marre, à cause de telle prof — parce qu'elle est en conflit avec une autre prof —, je vais changer de sexe mais pour devenir gay, je veux devenir un mec pour devenir gay : je vais me barrer à l'étranger, et puis de toute façon il faut que je crée une section de lutte.* Et elle ajoute : *De toute manière, on me l'a dit, je viens de découvrir que je suis bipolaire.* (Travesti marque une pause.) Bon... Enfin, même si ça ne règle pas tout, le changement de sexe et les revendications qui vont avec les font accéder à un monde associatif qui constitue peut-être un ferment social. Il faut savoir que le taux de suicide chez les trans est énorme. »

★

Chercher soi en beau.

199

*

Persan : « Je ne peux pas lire ou manger devant des gens. »

*

Avec Fou d'enfance, nous nous interrogeons sur ce que peut être la vie d'un homme de quarante ans qui n'aurait jamais expérimenté la relation sexuelle. Nous aboutissons à une phrase, nécessairement boiteuse : *Tout t'est étranger.*

*

35. De loin en loin, des verges non familières se dessinent. Le sexe des autres augmente et se réduit; il contient cent énigmes. Je connais la mousse noire entre les jambes de ma mère, sa peau claire : je viens de là. *Le nu-propriétaire n'éprouve pas la nécessité de jouir d'un bien dont il se sait nanti.* Comment la banalité psychanalytique impose-t-elle ses clichés au langage? Cause et conséquence se rejoignent autour de la même table de jeu.

Les verges que je découvre à l'état sauvage sont celles des séances de branle collective, lorsque je dors chez des copains (ou l'inverse). Expérience de la volupté partagée en principe, avant de l'être en chair. Les raideurs de Laurent, de Bastien, ou de Jonathan dispensent un plaisir trop furtif : impossible de fixer durablement ce centre de gravité. Aveugle à mon propre désir — et n'imaginant pas gagner quiconque à la cause du commensalisme —, je réunis aussi souvent que possible les conditions de mon safari en passager clandestin. Le sexe d'Axel est large, il me trouble plus que les autres — à tel point que son propriétaire finit par éteindre la lumière.

201

Je conviens à contrecœur que *c'est mieux dans le noir*, mais le supplie de me narrer des *histoires de filles*. Le poignet étirant l'élastique du pyjama, je m'évertue à dissoudre les gros mots pour n'écouter que la pâte de sa voix.

À aucun moment, l'idée d'être sucé par l'un de ces garçons ne me traverse l'esprit. Je connais ma saveur : c'est celle des autres qui m'intéresse. Le liseré rose qui ceinture l'extrémité de leurs sexes laisse perler tantôt une salive d'écume, tantôt un liquide proche du caramel en début de cuisson. Cette enveloppe est le contraire d'une gangue : elle est plus précieuse que ce qu'elle contient (parce qu'elle le contient).

Il y a enfin les sexes sur l'écran. Internet s'invite dans chaque foyer. La symphonie du modem se connectant, entre ses bips de brigadier numérique, sa soufflerie d'épave bravant trois tempêtes successives, et ses convulsions lacérées par les réseaux du monde, devient une berceuse prémonitoire du sexe. En contrepartie des supplices de cette machine, j'accède à une dimension parallèle. Il faut bien que quelqu'un ou quelque chose souffre pour tant de plaisir : si j'ai commencé par me renseigner sur la meilleure méthode pour embrasser une fille (*dans quel sens la langue*), j'ai surtout découvert l'image-miroir de trois mots électroniques : *young boys naked*.

Ils avaient décidé de dormir ensemble toutes les nuits où il neigerait à Paris, en dépit de l'évolution de leurs situations amoureuses respectives.

★

Le vice-président du tribunal de grande instance de Verdure explique : « En privant les détenus de liberté — ce qui est inscrit dans le Code — nous les privons d'un tas d'autres choses — qui ne sont pas inscrites dans le Code —, par exemple, et à commencer par : le droit d'avoir une sexualité. »

★

Tiboy92 écrit :

Je voudrais rencontrer un garçon, ni trop bon ni trop con, un mec avec qui je puisse parler de tout, de rien, de moi, de lui, un mec avec qui je puisse me marrer, un qui m'aime beaucoup, qui s'aime aussi, un mec qui soit un sale con et un ange en même temps, un espèce d'enculé au grand cœur, de ceux qu'on voit dans les films, un mec qui aime les câlins, se poser devant un film, manger des chips et plein d'autre trucs. Je ne l'ai pas encore rencontré ce petit gars mais je suis sure qu'un jour il me dira salut soit dans le métro, soit dans la rue. A se moment là, les choses sérieuse commenceront pour moi mais en attendant, je passe mon temps en cours, à la piscine, dans les mangas, je passe mon temps avec mes potes, à fumer un peu, avec des gens que je connais, d'autres que je connais pas vraiment, des gros cons, des trop gentils, des hétéros trop mignons, des mecs en vacance qui me font des bisous sur la joue pis que je ne revois plus, si ce n'est l'été suivant.

*

Téhéran : « Tu as vu ? Aujourd'hui les beaux sont sortis. »

*

Le plus contre-intuitif, dans la pratique du *fist fucking*, me dis-je, n'est pas l'introduction du poing dans le corps — c'est la figure même du poing. Suivant la morphosociologie des gestes humains, les doigts repliés sur eux-mêmes augurent deux emplois : le coup ; et la pression préhensile. Ici, le poing s'impose au seul prétexte de son ampleur (c'est un cas unique) — à moins qu'il ne figure et le coup, et la pression exercée sur quelque cordage fantôme, gardé prisonnier au creux de la paume (mais tractant quoi ?).

*

— Je ne bande pas...
— J'aime la pâte crue.

\*

Archipol : « J'en veux beaucoup à l'auteur de la trilogie *Fifty Shades of Grey*, parce qu'en banalisant le fantasme sadomaso, elle a privé des millions d'hommes et de femmes de culpabilité. Maintenant on voit des mères de famille acheter des bâillons dans des sex-shops comme on va à Disneyland. »

\*

Blouson Noir me demande quel est mon poème préféré. Le sien est « À une passante », d'un Baudelaire moins poète que photographe. Le sonnet repose quasiment sur le deuxième hémistiche de son ultime vers : *Ô toi que j'eusse aimée, ô toi qui le savais !* Je relis ces cinq mots : *ô toi qui le savais !*

\*

Je prépare du thé, tu t'assieds sous la mezzanine, sur les coussins qui composent un petit salon. Je mets un CD de fado. Tu me proposes un massage, je dis d'accord, tu m'invites à me déshabiller, je noue une serviette autour de mes hanches, je m'allonge sous la mezzanine, tu commences de me masser, la serviette autour des hanches se défait.

\*

En 2005, pendant quelques semaines, je décide (pour séduire un garçon) de tenir un journal intime publié sur un blog. Je m'arrange pour qu'il le lise par hasard — et me peins en artiste curieux mais torturé, j'écoute les musiques qu'il aime. J'évoque un dîner avec Hassan dans un restaurant mexicain, peu avant notre rupture, où Hassan se trouve assis face à moi — et face à un miroir dans lequel il s'observe toute la soirée. C'est la première fois que j'écris quelque chose de méchant sur quelqu'un. Hassan découvre mon blog : malgré l'initiale qui figure son prénom, il se reconnaît en Narcisse et me téléphone. Il reste fier, mais je l'ai humilié. Il se défend. Je me sens très bête.

★

**36.** C'est un ranch en forme de chalet dans le *countryside* américain, à 300 miles au nord de Washington. La nature est agencée mais sauvage. Jake et moi nous remettons de nos émotions : j'ai tourné trop brusquement dans une pente le volant de la voiturette électrique, dont le toit a failli nous décapiter en se renversant. Nous sommes indemnes, et pétrifiés. L'accident ne m'a rien enseigné : je suis coutumier des bêtises à risque, du feu d'artifice dans la cuisine aux démonstrations de funambulisme sur la balustrade des ponts lyonnais.

Ce jour-là, Jake me propose de tirer à la carabine. C'est une arme à plombs, que l'on charge un par un dans le canon. Jake m'apprend à viser : en dehors de la cible de paille tressée, il faut s'entraîner sur des courges coupées en deux, parce que les plombs rebondissent sur les parois des bouteilles de verre. L'exercice est grisant. Nous déjeunons d'un sandwich de *turkey* agrémenté de confiture d'airelles, et d'un bock de *ginger beer*. C'est un autre monde.

Le soleil aplatit la campagne. La chaleur est puissante. Plus loin, Jake transporte des bûches avec son oncle. Je suis seul sur la terrasse qui se déploie derrière le ranch, face à une prairie. Hier, au crépuscule, quatre biches en goguette y cabriolaient — comme entrant en scène —, avant de s'enfoncer à nouveau dans les bois. Aujourd'hui, peut-être en raison de la canicule, la prairie semble vide. En quête de faune, je fixe les hautes herbes, lorsque se pose, sur la rambarde de la terrasse, un de ces *humming-birds* si rares qu'a évoqués Jake le matin même. L'oiseau-mouche est plus éclatant encore que dans son guide ornithologique. Spontanément, j'arme ma carabine.

Son bec est interminable. Il remue mécaniquement la tête, fait vrombir ses ailes sans décoller. Mon index droit presse la détente. L'oiseau tombe net. Je me précipite pour le recueillir : il tremblote, le plomb a heurté son crâne ; il s'immobilise. Le vent s'avive en un instant. Je disparais dans la forêt jusqu'au soir pour enterrer ma victime, qui perd déjà ses couleurs. Pour la dernière fois, j'ai confondu la beauté et la mort.

Mon poème favori à moi est « One Art », d'Elizabeth Bishop. Blouson Noir lui trouve un cousinage avec *Il est trop tard*, la chanson de Moustaki. Son esprit d'escalier me révèle une chose que je poursuis (que Moustaki incarnait sur Terre) : la mélancolie mêlée à la douceur.

*

À la mort d'Analyste (l'une de ses connaissances de très longue date), Jeune Homme m'apprend qu'il a rouvert une malle de courriers anciens. Il se replonge depuis des jours dans les lettres de sa jeunesse. Malgré son excellente mémoire, il les relit comme on déchiffre le manuscrit de sa propre biographie, rédigée par un autre : « J'ai oublié les *trois quarts* de tout ce que j'ai fait dans ma vie. »

*

Blouson Noir : « J'ai des souvenirs très précis concernant ma sexualité dans l'enfance. Je me rappelle la première fois où je me suis branlé. Complètement mécanique, je faisais le robot et je ne pensais à rien, à aucune image. J'avais onze ans. Et tout à coup, j'ai joui : mon corps entier a tremblé, je me revois debout dans la douche, j'ai lâché le pommeau ; je ne pouvais plus le tenir. »

★

La mère insiste : « Pourquoi faire étalage de son intimité ? Pourquoi vouloir s'inspirer à tout prix de *sa propre vie* ? » — comme s'il existait deux matières en littérature (deux ennemies) : cette *propre vie*, et le reste.

★

*Adult Swim is an adult-oriented Cable network that shares channel space with Cartoon Network from 9:00 pm until 6:00 am ET/PT in the United States. [...] The programs featured on Adult Swim are geared toward an 18+ audience, in contrast to the originally all-ages daytime programming on Cartoon Network*[1].

★

---

1. *Adult Swim* est une chaîne de télévision pour adultes employant le canal de diffusion de *Cartoon Network* de 21 heures à 6 heures du matin aux États-Unis. Les programmes diffusés sur *Adult Swim* sont destinés aux plus de dix-huit ans, contrairement aux programmes pour tous âges diffusés la journée sur *Cartoon Network*.

## Conseil 4 : *Ne jamais l'interrompre*

*Quand un homme s'adresse à vous, imaginez-le debout sur une scène, sous les projecteurs. C'est comme ça que lui se voit, alors autant lui emboîter le pas. Les hommes sont toujours en représentation quand ils parlent, ne les interrompez donc jamais. Un de ces jours, observez une conversation entre deux hommes — vous verrez qu'ils ne se coupent pas la parole ou ne se soufflent pas la réplique, ils ne hochent même pas la tête et ne sont pas très engageants. Ils écoutent, tout simplement. Dorénavant, faites de même. Il vous en sera reconnaissant et pourra parler davantage, surtout de questions telles que ses sentiments.*

Glamour, à qui je lis sciemment cet extrait rédigé par *une* coach en séduction sur Internet, émet un commentaire péremptoire — mais prévisible : « Ce sont les femmes qui ont inventé le machisme ! »

★

Au téléphone, évoquant mon grand-père, ma mère dit : « Il m'arrive parfois d'être au bord des larmes, pour ne pas dire d'y être. » Il y a un temps. Puis : « C'est drôle, tu as été le plus marqué des trois par sa déportation, tu y reviens sans cesse, je me suis souvent demandé pourquoi. »

★

Matelot : « En gros tu as deux sujets : les juifs pendant la guerre et le sexe pendant l'enfance. »

Ma mère continue : « Je n'ai jamais pensé que j'aurais pu m'y trouver, moi, alors que des milliers de fois j'ai pensé que ça aurait pu être mes enfants, ces corps les uns sur les autres, que ça aurait pu être *vous*. »

**37.** Chaque année à Souffrignac, mon grand-père dépose une requête au bureau du maire. Il s'agit de demander l'autorisation de tirer un feu d'artifice le soir de la fête nationale, dans le grand champ. La tradition n'a rien de patriotique : c'est que la date du 14 coïncide avec l'anniversaire de mon oncle maternel. Bien qu'interdiction me soit faite de participer à l'allumage des fusées, j'ai le droit de contribuer à leur installation. Cette année-là, les yeux égarés dans le mode d'emploi, mon père comprend qu'il a oublié un sachet d'accessoires sur le comptoir de la boutique d'artifices. Les accessoires en question sont de petits socles en plastique qui stabilisent le départ des fusées. À voix basse il marmonne : « On va faire sans. »

Le soir venu, la famille au complet se réunit sous la tonnelle, derrière le balcon qui s'ouvre sur le *grand champ*. Là, en contrebas, les ombres de mon père et de mon oncle éveillent tour à tour de brèves étincelles bientôt suivies de crépitations jaunes, vertes et rouges dans le ciel noir. Vient l'heure du bouquet final, que mon oncle se charge de déclencher — mais le missile tournicote au sol en commençant de pétiller, puis subitement décolle pour finir sa course en percutant son visage. Un immense cri de douleur accuse la fin de la kermesse.

Par miracle, *Patrice ne sera sourd que d'une oreille* (dont il faudra tout de même recoudre quelques morceaux). Personne ne comprend ce qui s'est produit. Ma grand-mère projette de poursuivre en justice le fabricant de pyrotechnies. Patrice s'emporte : « Ça ne me rendra pas mon oreille. » Le lendemain, sur la route du retour, à côté de ma mère ébranlée, une lorgnade de mon père dans le rétroviseur me fait comprendre que s'il me venait une chose à dire, mieux vaudrait ne pas la dire. J'oblique les yeux vers la route, hypnotisé par la faculté du langage d'agir sur le réel. À cet instant, il suffirait que mes cordes vocales, mon palais, ma langue et mes lèvres fassent vibrer, puis sourdre l'air d'une certaine manière pour qu'une parcelle du monde s'effondre. Les mots défendus d'une société (insulter un policier, affirmer que les chambres à gaz n'ont pas existé) ne le sont que dans la mesure où quelqu'un les prononce. En somme, la Loi prohibe certains trajets d'air en bouche.

Il me semble évident que Dieu n'avait pas prévu le langage (c'est pourquoi les hommes ne savent point parler de Dieu), et que nous le lui avons volé (c'est pourquoi Dieu n'a plus grand-chose à faire pour se venger).

Lorsqu'elle sent *monter la colère*, elle garde une apparence très calme, s'en va sans claquer la porte, s'isole. Si une amie l'appelle, elle raconte qu'elle *fait du shopping*, alors qu'elle pleure seule sur un banc. Avant de rentrer, pour couvrir son mensonge, elle achète des vêtements qu'elle ne portera jamais.

★

Reprise de *Ne me quitte pas* par Gino Paoli, crooner en sucre filé, cigarettes dorées et cheveux gominés. Presque Paul marque sa page, relève les yeux de son livre : « C'est beau, ça. »

★

Cet ami notaire, si différent de moi, si naturellement beau, commençant tous les messages qu'il m'adresse par : « Salut l'artiste. »

★

Place de l'Odéon. Une femme me touche l'épaule. Elle doit joindre sa sœur, son téléphone est déchargé. Ses soixante ans parlent pour elle : je lui tends l'appareil. Elle ne sait pas comment ça marche. Elle préfère me *dicter les chiffres*. Son agenda en main, la femme s'interrompt : « Vous avez l'air triste, jeune homme. » Je dis : « Mélancolique peut-être. — Rien de grave j'espère? — Est-ce que l'amour est grave? — Vous avez rompu avec une fiancée? — Quelque chose comme ça. » Silence. La femme reprend la parole : « Vous savez, une amie me disait ces mots voilà quelques jours : *j'ai quitté trois fois mon mari. Je ne le supportais plus. Puis un jour j'ai retrouvé la pierre précieuse. Quand on aime quelqu'un, on a aimé sa pierre précieuse. L'éclat se ternit avec le temps. Elle s'oxyde, ou quelque chose comme ça. Mais il ne faut pas oublier la pierre précieuse que l'on a vue un jour.* »

★

*Il n'écoute pas, parce qu'il sait déjà.*

★

Matelot : « Une margarine américaine est vendue en France dans les sex-shops quinze fois son prix d'origine, parce que c'est *la* graisse la plus prisée des pratiquants du *fist*. C'est ça, la mondialisation? »

★

Primeur, issu d'une famille extrêmement conservatrice, rencontre un garçon pour coucher avec lui. Le garçon souhaite *filmer*, Primeur accepte, filme avec son téléphone portable. Plus tard, en envoyant la vidéo au garçon il se trompe ; et la transmet à sa mère. Depuis, la mère s'est murée dans le silence, et refuse de parler à son fils (qui nie en bloc, invoquant une *blague de potes*). Bord Cadre est fasciné par ce paradigme d'acte manqué. Pour ma part, l'acte est précisément trop dénué de charade pour m'intriguer. Bord Cadre ajoute : « Ça ne peut pas être une erreur, son plan cul s'appelle Fabien, et sa mère *Mam*, dans le répertoire du téléphone. »

★

Ce que Renard dit drôlement (« La porcelaine ébréchée dure plus longtemps que la porcelaine intacte ») et que Montherlant formule au moyen d'une effarante froideur : « Seule l'indifférence dure. »

★

Cirque est contraint de suivre un stage de récupération de points de permis. Le premier jour, face au groupe et à l'animateur (qui demande à chacun de relater son *parcours de conduite*), un jeune homme prend la parole : « Je vais être franc avec vous. Je connais mon code. Je sais conduire ma moto. Mais si je ne fais pas tous les soirs une pointe à 200 avant de rentrer chez moi, je tape ma femme. »

★

Chaque matin, elle passe une heure à écumer les recherches correspondant à son nom sur Internet, persuadée qu'y circulent des images d'elle nue.

*

Celui qui se croyait démesurément infidèle — et se découvre des années plus tard fidèle, absolument, à son premier amour.

**38.** J'ai toujours aimé les adultes. Manière instinctive de rester enfant, face à ceux que le temps a pris. Je passe l'essentiel de mes récréations en compagnie de la maîtresse : je lui pose des questions sur son mari. Elle répond plus honnêtement que prévu. J'ai mauvaise conscience : je me vois jouer un jeu qui ne profite qu'à mon ego en herbe. Pour garder le contact avec la cohorte des élèves de CM1, je collectionne les stickers Panini *Ligue des champions* (les plus rares sont argentés, mais on ne le sait qu'une fois le paquet ouvert).

Il y a les adultes que mon attitude irrite, qui pensent *lèche-bottes* et m'expédient au fond de la classe. Ceux que je distrais, en revanche, me pourvoient en avantages divers, au nombre desquels figure la recevabilité de mon objection de conscience concernant la chorale du jeudi (qui est principalement une initiation au répertoire de Michel Fugain).

Mon professeur de musique de cinquième, monsieur Citron, nous fait comparer deux titres de la bande originale de *Philadelphia* : celui de Bruce Springsteen, et celui de Neil Young. Ce sont deux chansons superbes. Dans la première, il est clair que les paroles furent accrochées à une musique préexistante; le chanteur s'empresse de parler pour atterrir sur les bonnes notes. Dans la seconde, c'est le contraire : la musique vêt le texte en costume sur mesure. L'analyse de ces charpentes me fascine : j'y vois deux manières de concevoir le temps. Suite à une énième discussion en fin de classe avec monsieur Citron, mon professeur m'invite à boire une grenadine dans le bistro d'en face.

J'échoue à saisir pourquoi mes parents ne partagent pas l'intensité de mon enthousiasme quant à cette amitié. Mon père se contente de me féliciter pour mon *implication*, souhaitant qu'il en aille *de même en mathématiques*. Deux semaines plus tard, monsieur Citron me *présente* Maria Callas. J'apprends par cœur les paroles de *La Mamma morta* et les récite à ma mère. Au fil des jours, Citron se confie de plus en plus : il fut élevé par son oncle, *vivre seul n'est pas simple*, son quarantième anniversaire approche. Pour l'occasion, il aimerait beaucoup m'*inviter à l'Opéra*.

Mes parents n'estimeront pas nécessaire de motiver leur refus catégorique au sujet de cette invitation, sous prétexte qu'il y a *des choses qu'à douze ans, on ignore*.

Quel que soit notre prolongement, quelle que soit l'intensité de nos désirs, ce moment où ton bras effleure mon bras, où le rapport social se transmue en rapport intime — même si le corps de l'autre résiste à bien des éclaircissements — même avec la meilleure volonté du monde — ce moment-là, nous ne le revivrons plus jamais.

*

La phrase qui ne peut pas être une autre phrase.

*

Bel Horizon me conseille de revoir *L'homme qui aimait les femmes*. Quant à la sexualité, aux sentiments, à l'enfance, *Truffaut* aurait *tout dit*.

— Alors j'arrête d'écrire?
— Un film ne peut pas contenir les mêmes réflexions qu'un livre.

« "Mais enfin Noël, sais-tu ce que c'est, le *tralala*?" Je n'en avais aucune idée, et cela n'avait pas d'importance. Les mots étaient là pour me protéger. »

(Noël Herpe, *Mes scènes primitives*)

*

Rouge : « On peut raconter des tas de choses dans un livre sans forcément être crédible, en revanche une scène de sexe, on ne se dit pas *C'est vrai*, ou *C'est pas vrai*. On la voit. Un auteur de polars m'a expliqué qu'il utilisait le sexe à cet effet ; parce que la sexualité *prouve que c'est vrai*. »

*

La Locandiera : « J'ai tenu des journaux intimes dans ma jeunesse. J'étais délurée, je prenais tout en note : les discothèques, les mecs, le militantisme aussi. À Juan-les-Pins, Brigitte Bardot m'avait offert un sac de vêtements qu'elle ne voulait plus porter. J'avais davantage peur que ma mère tombe sur mes écrits que sur mon chemisier en dentelle ajourée. J'ai fini par brûler mes journaux. D'abord, parce que je ne voulais pas que mes enfants tombent dessus ; ensuite parce qu'il y a des souvenirs qu'on a envie d'effacer, de balancer derrière soi. »

*

L'erreur fut de confondre le procédé et la personne (l'exploit d'être charmant ne saurait attacher l'auteur du charme à sa victime).

★

Bien-Être cherche ses mots : « Je suis triste, de ne pas être triste. »

★

À mesure qu'il s'activait sur son corps, il décochait des coups de plus en plus durs : la tête partit la première, puis ce fut un bras, un pied, les jambes tour à tour, les épaules. On garderait en mémoire l'image de ses membres propulsés dans l'espace ; le spectacle d'un homme en rut qui se décompose, jusqu'à l'effacement.

★

De ma fenêtre j'observe Blouson Noir s'éloigner, nous nous sommes embrassés en nous quittant et, subitement, il crache dans le caniveau. Le lendemain, je lui demande s'il a *craché notre baiser*. Penaud il se défend : « J'avais des résidus de thé dans la bouche. »

★

[...] Avant qu'un souffle ne nous prive
Du silence des bougies.

★

Chez Wagner, Siegfried chante : *J'ai hérité d'un corps que je consume en vivant.*

★

Morceau de rêve — un ancien amant me croise dans la rue et me demande : « Alors, tu as toujours envie de te faire taper ? »

★

**39.** Les séjours au ski occasionnent le rapprochement des corps. Massés à cinq, au minimum, dans un petit appartement, resurgissent les odeurs, les bruits, les matières. Charnelle au départ, la mixture s'avère bientôt pesante, produisant des antagonismes en série. La quantité d'eau chaude étant limitée, je ne peux impunément chercher le plaisir — toute prolongation sanitaire sera interprétée par ma mère comme le certificat d'une débauche. Bien que cela reste tacite, je pressens qu'il est interdit de faire ce que je fais : prendre l'empire sur mon corps ; sortir d'enfance.

Le soir venu, mon petit frère, qui n'a pas trois ans, me rejoint dans le lit superposé pour jouer à la Game Boy. Après deux *levels*, il s'endort. Je l'observe en train de téter quelque gorge prodigue, et embrasse son front. La lumière meurt. Plus tôt, je n'ai pu prendre qu'un bain fugace, dans l'eau tiède des autres. Mon sexe est dur. Je commence de le saisir, non avec tout le poing — comme procèdent la plupart de mes camarades —, mais de part et d'autre d'une main tendue. Si mon père savait cela, s'irriterait-il comme lorsque je tiens improprement mon stylo?

À deux pas de la jouissance, se retournant dans son sommeil, mon petit frère tend un bras qui effleure ma raideur. Je marque une pause. Une sensation neuve surgit. *Quelqu'un d'autre* que moi peut toucher mon sexe. Non le corps sur le corps, ni le corps dans les yeux : le corps en présence. En dépit des blagues obscènes, des films romantiques, des évidences, des coups de langue de mon chien, j'étais resté aveugle à cette idée.

Sans bruit, je place la main du frère sur mon sexe, recouvrant la cadence initiale. Peu à peu il s'éveille, sans déchiffrer la mécanique en jeu. Il me demande *ce que je fais*. Je le somme de poursuivre, ôtant ma propre main pour que l'expérience soit complète. Hector chuchote : *J'ai pas envie*. Vexé, je le traite de nul et lui ordonne de regagner sa couche. Seul de nouveau, je conclus l'aventure sans aide — mais m'endors soucieux. À tort : lorsque mon frère prendra conscience — comme je viens de le présager — que *cela ne se fait pas*, il y aura prescription. Je veux dire : prescription du souvenir.

Dans le ferry qui nous conduit à Brighton, lors du voyage linguistique de quatrième, les chefs de la classe entraînent tout le monde dans les toilettes. Ils ont quelque chose à nous montrer : dans la cuvette, un étron gigantesque, flottant comme un noyé. Les hypothèses sur les pratiques de son auteur vont bon train. Cette image crasseuse s'imprime en relief : plus je veux l'effacer, mieux elle se précise.

★

Fleuriste : « Quand on me demande des roses sans épines, je dis : Achetez des épines sans roses. »

★

La belle idée : *Galilée n'avait pas prédit que ce serait toi, le centre du monde.*

★

— Pourrais-tu être l'ami, ou l'amant de quelqu'un qui n'aimerait pas le *Clavier bien tempéré* joué par Gould?

— Oui.

★

« La rupture, ressasse-t-elle en pleurs, c'est une convention sociale, une manière de mettre des mots sur les choses. Mais rompre avec quelqu'un, qu'est-ce que ça peut bien signifier? Ce n'est pas parce qu'on n'est plus *en couple* qu'on n'est plus *un couple*. »

★

Cette baudruche sous la peau, qui comprime dans la direction du regardeur son masque de perfection. Traits n'ayant su choisir entre la rigueur du mâle (maladroite dans l'expression de son architecture) et l'harmonie dénuée de genre (qui fait fondre le cœur des vieux messieurs vêtus de mauve).

★

Blouson Noir : « Quand j'étais petit et que nous regardions un film à la télé avec mes parents, dès qu'une scène de sexe apparaissait, soit je détournais la tête d'un air absent, soit je me mettais à parler d'autre chose, comme si la scène n'avait pas plus d'importance que les autres. Il ne fallait pas qu'ils sachent que *je savais* : sinon je n'étais plus un enfant. Plus leur enfant. »

★

Le cou maigre et la bedaine horizontale, agglutinée en cerceaux s'amoncelant sous la ceinture : la Poire (ou bien l'homme qui a *avalé son ventre*).

★

Ici, deux poings énormes le pénètrent jusqu'au coude (après que le sien gauche a effectué le même travail), dans cette autre vidéo, il introduit son organe dans une pompe à vide de façon à l'étendre suffisamment pour se sodomiser lui-même, dans celle-là il s'enfonce derrière un gourdin plus large qu'un museau d'alligator, dans celle-ci encore, c'est l'urètre qui absorbe un câble long comme un brin de lavande. Tout cela pourrait heurter le regard, mais la pudeur obéit à cette loi arithmétique du *moins par moins égale plus*; si bien qu'à force d'observer l'image de cette chair, de son visage usagé, de ses traits mêmement humains que les nôtres, il ne s'agit plus d'exhibition (ni même de pornographie) : un homme a fait le tour du corps — et il s'y est perdu.

★

40. Les révélations se succèdent. Un soir de semaine, alors que mes parents sont sortis dîner, je zappe de chaîne en chaîne lorsque, spontanément, je m'arrête sur l'image d'un garçon en chemise rouge, assis sur le rivage. Il a mon âge, il ressemble à Luc : ses cheveux sont blancs de blondeur, ses lèvres gercées. Le plan suivant me coupe la respiration : le garçon aux lèvres roses dévisage d'un air triste un autre garçon, moins joli, mais joli quand même, rondelet, portant le même vêtement que le sien, mais d'une autre couleur. C'est un clip du groupe islandais Sigur Rós.

Le film relate l'amitié entre deux footballeurs condamnés à jouer un match d'adversaires. Avant le match, dans les vestiaires, le moins joli des deux offre un cadeau à l'autre : c'est une boîte à chaussures. Son ami l'ouvre pour découvrir, bouleversé, une poupée. Il la reconnaît : quelques jours plus tôt, s'étant retiré près d'un lac pour la serrer contre son cœur, il avait été pris en faute par son père. Le père avait arraché la poupée, pour la catapulter dans le lac.

À la résurrection du jouet succède l'album photo d'une amitié. De pré en pré, de clairière en clairière, deux enfants cavalcadent, se poursuivent, éclatent de rire, s'écroulent l'un sur l'autre en s'embrassant. Un plan au ralenti magnifie le joli des deux, dont la langue humide pointe au-dehors de sa bouche, pour plonger vers les lèvres défaites de son ami. Les couleurs désaturées du film super 8 s'unissent à la mélodie atmosphérique qui les accompagne. L'écran devient un hublot sur le monde idéal.

Naturellement, les deux amis ne peuvent s'affronter. Mieux : au milieu de la partie, fêtant un but, le public pétrifié les trouve allongés, en train de s'étreindre sur la pelouse. Le prêtre en lâche sa bible. À l'orchestre, les violons divergent et rejoignent le chaos qui grossit. Un gros plan affiche le visage d'un père répugné, qui se précipite sur le terrain pour tirer son fils des bras de son amant.

Le claquement de notre porte d'entrée a fait vibrer la maison. Mes parents reviennent de leur dîner. On me gronde d'avoir veillé. Je file dans mon lit, débordant d'énigmes, et d'émotions. Une intuition me persuade que le clip islandais me concerne — comment? pourquoi? Il me reste à le comprendre.

« J'aime tout — il y a vraiment très peu de choses qui me dérangent. »

(Charles Trenet, Mon opérette)

★

Matelot : « Il n'existe aucun synonyme non argotique, je veux dire non familier, du verbe *s'embrasser* (avec la bouche). Tandis qu'on peut dire *faire l'amour, copuler, s'accoupler...* »

★

La théorie de Téhéran : lorsqu'un frère et une sœur jumeaux grandissent ensemble (et qu'ils sont proches), l'homosexualité s'en trouve favorisée — car elle constitue pour le frère (comme pour la sœur) un rempart à l'inceste. « Cela dit, ajoute-t-il, les jumeaux homozygotes sont fréquemment homosexuels par deux. » Blouson Noir dit : « Le soir de notre quatrième anniversaire, j'ai propulsé ma sœur jumelle dans la cheminée en feu. Par chance ma mère s'est interposée. J'ai récemment demandé à mes parents s'ils s'en souvenaient; je les ai sentis embarrassés. »

*

Le seul rêve, à peu près (les rêves me lassent comme les contes) : je vole un bébé crocodile. Grâce à mes gants, il ne peut pas me mordre (en outre je compresse sa mâchoire). Je décide de relâcher le crocodile dans la cour jardinée de mon immeuble, pour l'observer depuis la fenêtre. Sans délai, mon grand-père débarque avec un revolver. Il s'approche du reptile, qui a déjà grandi. Je le supplie de ne pas tirer : « Si tu le tues, je ne te parle plus pendant un an. » À part moi, je me dis qu'un an c'est long, qu'au bout du compte mon grand-père ne sera peut-être plus vivant.

*

Pour la première fois, un âge inférieur au mien m'apparaît spontanément, sur le papier, supérieur au mien.

*

Jean d'Oubli fut bon dramaturge, parfait interprète (je déplore qu'il ait à ce point *verrouillé ses coulisses*). Débardeur dit : « Tu sais, il le sait. »

*

Travesti reste lucide : « Dans le milieu gay je ne vaudrais pas un centime. Il n'y a que les jeunes qui y ont du succès. Tandis qu'une vieille trave de quarante, cinquante, soixante piges même, elle se fait encore baiser par les plus beaux mecs. »

★

En sixième, j'affirme à un camarade que Philippe de Villiers est le meilleur homme politique de France *parce qu'il a beaucoup d'enfants* (et que j'ai entendu mon père dire du bien de lui).

★

Je demande au taximan ce qu'il lisait en m'attendant : un roman d'époque sur Aliénor d'Aquitaine. Il m'explique qu'il a essayé de lire Sade, *avant,* mais que c'est *impossible dans une voiture.* Le chauffeur semble plongé dans des réminiscences : *Il faut être surhumain, parce que si on se laisse aller, on ne peut plus travailler.* Il se retourne : « J'ai failli devenir fou. »

★

Mon voisin de table, en présence duquel j'évoque ce projet de livre, se sent obligé de me livrer un souvenir sexuel : « J'avais huit ans, j'étais dans la chambre de ma sœur et il y avait cet homme grand, très beau je crois, assis en slip blanc sur son lit. Ma sœur avait dix ans. Je ne sais pas ce que cet homme faisait là. Je ne sais même plus si ce souvenir est réel. »

*

*Paris-Match* révèle que *L'Origine du monde* est un morceau d'une toile plus large. Courbet n'a pas peint un vagin, mais la femme autour. Son audace s'évanouit : à croire qu'un sexe n'existe qu'en soi, isolé du monde, dépourvu de son corps humain.

*

Plus ce livre attend, plus il se remplit.

*

**41.** Mon père est médecin, c'est pour moi une donnée générale du même ordre que ma ville natale, l'adresse de notre maison, l'année de naissance de ma mère ou mon plat préféré. À l'orée du collège, son activité professionnelle se nimbe toutefois d'une auréole imprévue. Lorsqu'à la question usuelle de début d'année (*Il fait quoi comme métier ton père ?*) je réponds *Gynécologue*, les yeux des garçons s'écarquillent. Réside dans cette charge une fantasmagorie.

De loin en loin, la magie se précise : mon père a *trop de chance*, il voit *des chattes tous les jours*. En bon communicant, sans bien concevoir cette chance, je modère les ardeurs de la presse en expliquant qu'une telle chose reste pour lui *une occupation professionnelle*, et qu'avec l'habitude cela revient au même de voir *un pied ou une chatte*. Pour autant, la fièvre des autres fait son chemin en moi : au matin, dans la voiture qui me conduit en classe, je scrute le visage de mon père. Son regard, dans moins d'une heure, s'abîmera dans *des chattes*. Il verra l'impensable. Pour ma part, je ne me figure aucune image : le jargon de mes camarades contient suffisamment de détails.

Est-ce un sort? L'examen du père devient obsessionnel. Je remarque qu'il aime *vider les volailles*, y plongeant deux mains nues qui ressortent chargées d'abats, dégoulinantes de sang et de fluides. Je dis : « Pourquoi tu ne demandes pas au boucher de les vider lui-même? » Il dit : « Parce que j'aime bien faire ça. » De même, à la fin du printemps, mon père prend un singulier plaisir à patauger dans le fond saumâtre de la piscine pleine d'algues, d'insectes et de cadavres de grenouilles, pour gratter lui-même la saleté. Voit-il la femme en toutes ces tâches?

Au cabinet du père, je peux manipuler des vagins en plastique, avec l'orifice du col coloré en bleu, et le myomètre en violet. Je vole un stylo *En finir avec le cancer du col de l'utérus*. Plusieurs dames parcourent des revues garnies d'adolescentes en maillots de bain. Mon père a enfilé une blouse blanche par-dessus son costume. Il entre triomphant dans la salle d'attente. Les dames sourient. Je dis à mes copains : « Mon père n'a pas voulu m'accoucher parce qu'il aurait été trop stressé. » Une patiente suit mon père dans le couloir. Celle-là n'est pas enceinte. Le médecin ferme la porte de son bureau. Je joue au démineur sur l'ordinateur de la secrétaire. Mon père est en train de voir *une chatte*.

Salopard me signifie par courrier la rupture de notre amitié, après que je lui ai annoncé qu'*une ou deux phrases* de lui figureraient dans ce texte : « Je ne suis pas de la matière littéraire et encore moins le nègre d'Arthur Dreyfus. » Je suis incapable de la bonne décision à prendre.

★

Dans le livre à la couverture bleue : *L'unique solution est de puiser dans ce champ morphogénétique d'amour qui vous baigne sans que vous le sachiez. Comment ? En connectant avec votre être profond, votre Moi Supérieur, les énergies de lumière qui sont à votre portée, en vous faisant aider par votre ange si dévoué, ami, double de feu, gardien de seuil et protection inexpugnable. Il vous suffit de vous connecter à cette Source d'amour irriguant de toute éternité la Création par le Verbe.* Ma grand-mère dit : « La cousine d'une cousine m'a offert ça. Je m'en sers pour poser mon verre d'eau sur la table de chevet. »

★

Idée que l'homosexualité masculine réside peut-être dans la dissociation de l'anal et du fécal. On remarquera qu'aux yeux de ceux pour qui l'inversion est étrangère, l'image référente (et, surtout, les interrogations « techniques » s'y rapportant) reste l'unique acte sexuel qui dans l'histoire permit de définir une catégorie d'individus (ledit acte ne leur étant pourtant ni endémique ni exclusif).

★

Silhouette : « Je viens de prendre conscience que mon père s'appelle Philippe et que Philippe s'appelle Philippe. »

★

L'article de *Paris-Match* était une imposture, affirment les experts. C'était bien un vagin (rien qu'un vagin). Courbet redevient inconvenant.

★

SMS de ma Reine :

Savais-tu qu'en Chine, pour le nouvel an ils mangent des œufs durs cuits dans les urines de jeunes garçons, telle une cure de jouvence : incroyable non ?

★

Glamour : « Tu n'aimes que les petits-maîtres — Renard, Guitry, Cocteau... Il est grand temps que tu lises de *vrais romans*; les Russes, *La Comédie humaine*, Cervantès. »

★

Synonymes du mot *pornographie* proposés par le dictionnaire de l'université de Caen - Basse-Normandie, par ordre de pertinence : *indécence, obscénité, licence, grossièreté, impudicité, immoralité, porno, rhyparographie.*

★

Je prends de moins en moins la parole dans ce livre.

★

Annonce diffusée sur un forum gay, dont on ne saurait condamner le manque de précision :

Mercredi 13 février 2012 de 12 h à 15 h, samedi 16 février 2013 de 15 h à 18 h, dimanche 24 février 2013 de 20 h à 24 h Nous étions 23 à la touze homo, dimanche 10 février 2013 de 17 h à 20 h, au 115 rue Mouffetard 75005 Paris de 22 à 67 ans, dont 8 actifs, 4 versatiles et 11 passifs, 5 nouveaux, 4 TBM, 1 Antillais, 2 Beurs, 1 Espagnol, 1 Portugais.

★

Je m'endors en paix : il est encore temps d'écrire des livres de jeunesse.

★

**42.** L'agitation semble plus vive qu'à l'accoutumée. Dans les vestiaires, Simon et Sébastien, les rois de la classe, manipulent une collection de photographies. Un groupe s'agglutine autour d'eux. Je m'approche, mais il faut trop jouer des coudes pour discerner quoi que ce soit. Quitte à choisir, j'aime mieux faire partie de la minorité qui n'a pas vu.

Un sifflet marque le début du cours de sport. Dans le gymnase, autour des rois, les garçons se font des grimaces que je ne comprends pas. Je les classe au registre de ce qui m'échappe chez un mâle de treize ans (et qu'aucun effort ne saura me faire entendre). Le professeur de sport est alcoolique : chaque fois qu'il parle, cela sent comme au début d'une prise de sang. Je recule d'un pas poli. Les bras suspendus aux anneaux, je me demande s'il laissera derrière lui une épouse, des enfants — et m'engage à être moins facétieux avec lui qu'avec ses collègues. Je me laisse choir sur le tapis. Je dis : « Monsieur, est-ce que je peux aller faire pipi ? »

Cheminant vers les toilettes, je passe devant le vestiaire des garçons, m'arrête un instant, reviens sur mes pas. Je ne tarde guère à extraire du sac de Simon les fameux clichés, imprimés en noir et blanc sur ordinateur. Ils proviennent tous d'un site *gore* allemand. Révulsé, je passe une à une devant mes yeux des images de cadavres déchiquetés en bord de route, de bras, de jambes et d'organes génitaux humains, de crânes d'enfants écrabouillés. Je m'interromps. C'est comme si je connaissais déjà ces spectacles.

Retour aux cuvettes : croyant encore que la laideur se démantèle, je déchire méticuleusement chaque papier, et tire la chasse. Les derniers morceaux aspirés, je rejoins un gymnase où la panique règne. Laetitia, pourtant très souple, s'est coincé le pouce dans la mécanique d'un agrès. Je respire une odeur d'éthanol : derrière moi, le professeur me prie de conduire ma camarade à l'infirmerie. À mon retour, la cloche renvoie tout le monde aux vestiaires, où Sébastien accuse Simon d'avoir *perdu les photos*. Je fixe mes lacets.

Simon et Sébastien ont le pubis broussailleux et les épaules larges. Ils écoutent Iron Maiden, ne rasent pas leurs préludes de boucs. *Simon*, me dis-je, *et Sébastien*.

Se penchant sur les manuscrits de Pline l'Ancien, on notera que le terme de *rhyparographie*, couramment (mais inexactement) accusé par son étymologie de désigner les natures mortes représentant les objets « vils » et « obscènes », ne désigne pas ce qui est indécent au sens moderne, mais la *bassesse des sujets*, puisque chez les peintres antiques, les métiers, et tout ce qui en dépendait, figuraient dans la catégorie des choses basses.

★

Épigraphe surréaliste de la première édition des *Garçons* de Montherlant : *Cette œuvre est destinée aux intelligents et aux sensibles.*

★

Psyché transcrit une séance avec un patient qu'il suit depuis quelques semaines :

« Des quatre enfants, il est le seul à avoir *réussi* (il mime les guillemets) sa vie privée : ses deux frères et sa sœur ont chacun divorcé, et quand nous l'interrogeons sur le pourquoi des guillemets, il répond que lui aussi aurait dû divorcer : *On est moins un couple qu'une association Loi 1901 : on a déposé les statuts chez le maire, on a fait trois membres et on est tous les deux trésoriers. Les AG, c'est à table devant la télé. Les réunions de bureau, au lit mais côte à côte depuis déjà longtemps.* »

★

Ce que j'aime dans un livre, malgré moi, malgré tout ce qu'il *faudrait* aimer, c'est son parfum immédiat de réalité, son odeur, son extraction du monde, tout cela plus que le génie de sa dramaturgie. Rien contre le récit — mais trop d'amour pour la gratuité des tentatives, pour le sur-place, pour le fantasme qui n'existerait nulle part, s'il n'existait pas ici, et là.

★

Elle admet que les photographies d'Antoine d'Agata renvoient aux toiles de Bacon. Elle l'admet mais pour elle, *ça n'excuse rien* : « Le peintre invente une réalité. Le photographe se contente de la reproduire — et de reproduire, ici, la misère humaine. »

★

C'était notre premier voyage, nous allions à Stockholm et tu étais trop jeune pour quitter le territoire. Il avait fallu demander à ta mère une autorisation en urgence, qu'elle avait transmise à un inconnu montant dans le train vers Paris. Tu t'en voulais de retarder notre départ. Nous sommes revenus à Paris, nous avons regardé un film dont j'ai oublié le titre. Il faisait froid, j'ai posé une couverture sur tes jambes et nous nous sommes endormis. Le lendemain, l'avion décollait pour de bon, avec nous dedans. J'ai oublié notre programme. Il y avait cet hôtel sur une péniche, le renne fumé, le musée Alfred-Nobel (qui ne t'a pas intéressé), et le musée d'Art contemporain sur une île. Ce que je me rappelle, c'est le retour : tes pleurs minuscules dans l'avion, du bord de l'œil au pli du nez. J'ai aimé ces larmes. Elles me conféraient un pouvoir : l'assurance qu'entre toutes les vanités ce que nous avions vécu, ce que nous allions vivre, ce n'était pas rien ; c'était quelque chose.

★

Fou d'enfance : « Je hais la mode des images laides. L'artiste doit produire du beau. »

★

L'ami se trouvait en bonne compagnie dans une grotte, près d'un lagon turquoise. La bonne compagnie s'est cambrée ; elle était nue. Dans la grotte, un filet de lumière poudrée, comme on en voit dans les églises, a percé le plafond. Le filet est venu se loger très exactement dans le fondement de la bonne compagnie. Alors, l'ami a vu. *C'était une galaxie, une galaxie de vaisseaux,*

245

*d'étoiles filantes, un firmament, un réseau prodigieux ; une*
*apparition mystique.*

*

Titre : *Le Fils acrobate.* (Un homme cherche son fils
perdu, emporté par une femme à l'étranger, il ne sait
rien de lui, hormis le fait que son garçon est acrobate en
Algérie, ou en Autriche.)

*

Dans les dernières minutes de la nuit, précédant juste
l'éveil, une liste de noms défilant de bas en haut sur un
fond noir : le générique du rêve.

*

**43.** Les adultes le ressassent : *Internet, c'est générationnel.*
En effet, j'ai appris à manier l'outil sans assistance, et
peux accéder en un instant au contenu souhaité. À
l'époque, le Web est peu contrôlé : s'explorent sans
difficultés les territoires prépubères. J'expérimente de
nouvelles occurrences dans le moteur de recherche :
*preteen, nude, very young.* Les sexes de ces images
coïncident avec le mien : ils sont excessivement fermes
(parce qu'encore brefs), transparents autour, carmin à
la pointe. Seuls les corps jeunes m'exaltent : à la vision
d'un véritable *adolescent,* je change de site. Qui peut
regarder des adultes faire l'amour ?

Les garçons se chargent sur l'écran à une lenteur
extrême, depuis leur bord supérieur. On distingue en
premier lieu le visage du modèle, son environnement
(chambre privée, chambre d'hôtel, clairière, cave), son
torse ; jusqu'à la zone auguste. Mon corps suit la cadence
des pixels, saisi graduellement, du ventre aux hanches,
d'un incontrôlable frisson. La respiration soubresaute,
ma verge pulse en résonance : si je la touche, elle s'exprime. Un cliché en appelle d'autres. Il faut être rapide,

précis — mon père regarde un match *en bas dans le salon* (chaque but l'enfonçant mieux dans son canapé).

L'ordinateur se situe *en haut* des escaliers, sur le palier qui prolonge le couloir (constituant un *coin-bureau*). À tout moment, je m'attends à déclencher une opération commando, l'écran se trouvant posé sur un meuble dont le tiroir central contient pêle-mêle le stock d'un grossiste en papeterie : agrafeuses, agrafes, élastiques, scotch, ciseaux, trombones, porte-clés, stylos cassés, cartouches d'encre, punaises... Pour parer le danger, j'aménage autant que possible mes séances en fonction des absences parentales. Bientôt, l'habitude me commande de plus en plus souvent d'échapper, comme une anesthésie, au moyen de ce protocole, à toute forme de réalité.

Les spasmes se vivifient. Dès la connexion du modem, je chancelle. Je sais que ce que je fais est interdit (mais c'est la représentation du sexe que je crois illégale). Je suis moins homosexuel que curieux. L'homosexualité est une *tare*.

Ce n'est pourtant guère à la nudité (ni à la masculinité), mais à la choquante jeunesse de mes modèles, que me confrontera sous peu ma mère, face aux images interceptées par elle d'enfants nus de treize ans — âge exact de son fils, à qui elle posera cette question surréelle : « Es-tu pédophile ? »

Le père : « Il aime enfiler des robes. À trois ans, il a tout à fait conscience de la transgression que cela représente. » La mère : « À la pêche aux canards, il a choisi comme lot une poupée Barbie. Mais une Barbie infirmière, hypersexy, avec la jupe relevée jusque-là. Il touche sans cesse sa poitrine, il dort avec. »

*

Extrait de *Provisoirement ou définitivement*, pièce jamais montée.

BRICE : J'ai peur de la mort. Je n'aime pas dormir seul. J'ai besoin de quelqu'un dans mon dos. (*Il se dirige vers Lola et lui ausculte les omoplates.*) Là, entre les omoplates, exactement au milieu, une chaleur qui ne me quitte pas de toute la nuit. Ou bien quand je dors, mais je ne m'en rends pas compte. Si je me réveille, je veux que la chaleur revienne. J'apprends à dormir seul. Il paraît que les personnes âgées n'aiment plus dormir à deux, que la présence de l'autre dans la pièce d'à côté, dans une chambre à l'étage, ça suffit, comme si, après des années, la présence était devenue plus puissante, qu'elle traversait les murs. Je connais pas cette sensation. Je veux la chaleur dans le dos.

*

— Vous êtes séparés depuis longtemps?
— Un an et un mois.
— C'est drôle, tu comptes encore.

*

Le drame des pères, dit-il, c'est d'emporter dans leur mort ce qu'ils n'ont jamais compris (et qu'ils n'auraient pas davantage su saisir en cent ans d'existence supplémentaire).

*

Le comédien convoque un passage de Guibert, d'il ne sait plus quel livre, où Hervé pose enfant son sexe sur l'image monochrome d'un acteur dans un magazine, et patiente, immobile (s'imaginant que *c'est cela*, se branler).

*

Am : « C'est marrant ton texte méchant sur Lyon, ça me rappelle le sujet d'une rédaction quand j'étais en quatrième : le professeur nous avait demandé de travailler (avec ironie et second degré) sur Moissac et ce

250

qu'on "aimait" à propos de cette ville. Ce qui revenait au même résultat : salir nos lieux d'enfance. Je me souviens, aussi détestables qu'étaient le collège et ce village, je n'avais pas trouvé grand-chose à dire. »

★

Timide : « J'avais treize ans. J'étais amoureux d'un garçon qui s'appelait Frédéric. Il m'a proposé d'aller à la pêche aux têtards. À l'époque je vivais en Lorraine, nous habitions près de la frontière belge. Au-delà se déroulait une immense forêt. Il faisait beau. À côté de l'étang, nous avons rencontré d'autres enfants du village, qui pêchaient aussi. Je ne sais si Frédéric les avait prévenus, ou s'ils étaient là par hasard, mais ils se sont ligués contre moi pour essayer de me déshabiller et de me jeter dans l'eau. J'ai tenu bon : ils ont fini par me laisser tranquille, puis par aller se baigner eux-mêmes. Je n'aimais pas nager. Sous un arbre, j'ai tout à coup repéré le slip de Frédéric, roulé en boule dans une jambe de son pantalon. Je me suis approché. Je l'ai respiré pendant au moins deux minutes. C'est un des souvenirs les plus heureux de ma vie. »

★

Lecture d'*Histoire de l'œil* de Bataille. On se fiche de l'urine, du sang, des testicules, des vulves : c'est en tout premier lieu (au sens de ce qu'on voit *d'abord*) de la littérature. On s'arrête, stupéfait, devant la candeur de la dernière partie du texte intitulée « Réminiscences »; en quelques pages, Bataille s'excuse d'avoir imaginé ce

251

qu'il a imaginé, se défaussant sur des traumatismes d'enfance, comme si seule *la psychanalyse* savait justifier *l'obscénité la plus grande.*

★

Dans telle émission de radio, je qualifie un personnage de mon dernier roman de *pédophile repenti*. Régis Jauffret, invité avec moi, m'interrompt : « Un pédophile repenti, c'est comme un intellectuel repenti, ça n'existe pas. »

★

Fume-cigarette avoue qu'elle a couché avec son frère à quatorze ans, quand il en avait quinze, non parce que c'était son frère, mais *parce qu'il était très beau.* Elle dit qu'elle a connu Georges Bataille, qu'on ne pouvait pas imaginer qu'il écrivait ce qu'il écrivait, tellement l'homme était *repoussant, antisexuel.* Elle estime que le chapitre psychanalytique d'*Histoire de l'œil* peut être inventé par l'auteur, qu'il n'a sans doute pas vécu les traumatismes évoqués. Je me sens bête et émerveillé, comme au premier tour de magie : j'y ai cru.

★

44. J'ai quelque chose à cacher. Ma mère est encore naïve de ma naïveté. Au collège, dans ma chambre, en voiture, cent mille pixels éclatent en écho : jambes nues, sexes dressés, gouttes du désir sur les lèvres. Je n'en parle à personne. À aucun ami ; à aucun adulte.

L'aquarium tropical est devenu saumâtre. C'est qu'il faut chaque semaine (à chaque changement d'eau) aspirer un bon coup dans le tuyau plongé au fond du bac, pour impulser le reflux. L'idée d'avaler une gorgée de vieille eau (ce qui se produit une fois sur deux) me répugne. L'encrassement progresse. Si mes poissons-éléphants semblent régaler leurs fines trompes de ces détritus accumulés, mon couple de *Discus verts* s'engourdit. Ce sont mes poissons les plus chers : j'ai tanné mes parents pour décrocher leurs vaniteuses écailles. À présent ils se meurent, le regard toujours digne, punis par leurs goûts de luxe.

L'homosexualité existe à la marge, en dehors des murs de la maison. Mon destin n'y va pas. De fait c'est moins l'activité sexuelle qui me hante que la nudité libérée, comme si j'avais accès, enfin, et sans limite de temps, au centre de gravité des garçons. Le plaisir dans la crainte peut-il être un désir ? J'ignore qu'il s'affirmera (comme j'ignore en ce temps que les ordinateurs conservent l'historique des pages Web consultées). Je ne suis inquiet que face à l'écran. La tragédie pose ses jalons.

Lors d'un séjour à Paris, on m'emmène au musée de la Magie. La visite n'est pas mémorable, mais la cassette d'initiation à la *cartomagie* que m'offre mon père marque un tournant. Je passe des jours à rembobiner chaque séquence jusqu'à pouvoir dupliquer les manipulations présentées. Le professeur bruite les tours avec sa bouche (*Frrrrrrt ! Plooooooop !*), et porte un nœud papillon bordeaux. Le jour qui se révèle entre mes doigts alignés est occupé chez lui par du gras (ce qui est commode pour les *empalmages*). Me captive la faculté d'un artifice à fabriquer du doute (le doute du fantastique). Pour être invisible, le geste peut emprunter deux chemins : soit il est imperceptible (la dextérité), soit il est évident (la lettre volée). L'étudiant magicien doit se prémunir d'un automatisme : cligner de l'œil au moment fatidique, lorsqu'entre ses mains, face au miroir de répétition, s'effectue « le truc ». Je m'astreins, geste après geste, à scruter l'angle qui trahit.

Curieuse épiphanie : en écriture, les mots du sexe sont plus acceptables dans leur forme argotique que dans leur forme soutenue. Comme s'il était plus convenable d'*enculer* quelqu'un que de le *sodomiser* (lequel verbe n'est plus un langage, mais une image).

★

Fume-cigarette : « Le sexe d'un homme qu'elle n'aime pas donne à une femme envie de vomir. »

★

Tango : « Je me suis senti gosse jusqu'à trente-cinq ans. Je voyais les gens parler autour de moi et je me disais : ce sont des adultes, tu n'es pas de leur monde. C'est mon sida qui m'a rendu adulte. Quand je suis devenu séropo, j'ai cessé de me sentir exclu du monde. »

★

Prestidigitation : *pays du secret légitime.*

★

Persan : « Si elle aimait davantage le sexe, elle serait sans doute une moins bonne mère. »

★

Bord Cadre répertorie un assortiment de ses souvenirs d'enfance (je voudrais lui demander pourquoi ils sont venus dans cet ordre, s'il a opéré une sélection entre ses souvenirs) :

- Château d'Égreville, probablement printemps 1999. Je passe l'après-midi à jouer du piano sous le regard de Madame Villard, vieille femme jeune et âgée, vive. Elle me fait jouer et rejouer cette même valse de Chopin pendant des heures, j'adore ça. Vers 20 h je reprends mon vélo pour rentrer, en chemin je croise mon père qui venait à ma rencontre ayant peur qu'il me soit arrivé quelque chose. Il n'avait rien compris.

- Maison de mes parents, Égreville, il y a deux mois. Je vais dans la salle de bains, sens le parfum de ma mère, seule présence d'elle restante dans ce lieu.

- Rue de la Fontaine au Roi, je devais avoir huit ans. Mam, Ulysse, Tatie Claudette et moi. Braquage dans un restaurant, poursuite de bandes dans la rue, coups de feu au ciel, bombes lacrymogènes. J'ai peur, je pleure. Est-ce moi qui attire cette violence ? Déjà ?

- Hiver 2004, colonie de vacances. Je suis dans la chambre d'un des jeunes moniteurs, il me dit m'avoir compris... c'est pareil pour lui. Il veut m'embrasser, j'ai peur, je refuse, je pars.

- 16 juillet 2005. 18 ans. Je suis en Tunisie loin de ma famille qui me manque, pour un mois avec une cousine de trois fois mon âge qui travaille sans cesse, et sa mère. Souvenir de solitude. Pour la 1$^{re}$ fois, je prends une feuille et écris des sensations. Je rentre en conversation avec moi. Je ne l'ai refait que trois fois depuis.

★

Fou d'enfance : « Je ne peux pas détester un individu. Je déteste des abstractions. »

★

**45.** Lyon a de la chance. Stanley McBride, le grand magicien américain, vient donner une conférence à Magic Shop. Les élèves du mercredi soir (la boutique comporte une *académie* en sous-sol) se sont tous inscrits ; j'ai obtenu de mon père un billet de 20 euros contre la promesse d'une révision assidue du prochain contrôle de physique-chimie. L'engagement est impossible à tenir : chaque soir, dès la lumière éteinte, je la rallume et enclenche un magnétoscope pour repasser la cassette de Stanley McBride.

Du fait de l'usure de la bande, s'affiche, un peu éraflé, le logo de l'ACMPG (American Creative and Magical Performers Guild), représenté par une baguette magique dont les extrémités s'envolent en formant deux colombes. Un titre fluo en 3D introduit alors le nom du pédagogue, et l'intitulé de la leçon : *An introduction to palming by* STANLEY MCBRIDE. Le *palming*, c'est l'*empalmage* — cette technique permettant de conserver en secret un objet à l'intérieur de sa paume. McBride en est l'un des spécialistes mondiaux. Il existe une infinité de manières de tenir cachée une pièce ou une carte à jouer entre ses doigts, usant soit d'une grande agilité, soit du détournement d'attention (McBride est de la première école).

La veille de la conférence, je m'endors avec un carré d'as dans les mains. Je vais enfin rencontrer un magicien américain. Ses doigts sont effilés, l'homme me rappelle Siegfried (sans Roy, sans ses tigres blancs). McBride a les cheveux encore blonds, les dents à nouveau blanches ; il est rasé de près et porte une redingote. Ses mouvements sont si subtils que je doute qu'il révèle vraiment ce qu'il fait lorsqu'il décortique une *routine*. La conférence est fascinante : au dernier tour, il nous semble tous avoir emmagasiné d'éternels secrets. Chacun s'entraîne à faire disparaître des choses.

On nous avait prévenus : McBride ne bavarde pas après ses démonstrations. Inutile de le déranger. C'est pourtant le magicien lui-même qui s'approche de moi, avant de quitter Magic Shop, et qui me chuchote à l'oreille : « *I'd like to show you something.* » Je me fige, devant les collègues médusés. Derrière un rideau, McBride remonte ses manches, tire une ancienne pièce d'un dollar en argent de sa poche, la dépose au milieu de sa paume, ferme le poing, souffle, le rouvre : la pièce a disparu. J'ai demandé « *How...?* » ; et McBride m'a montré comment.

Travesti sursoit à ses propres règles : « Moi j'aime les moches, les menteurs, les immigrés, les taulards... Je n'accepte jamais de jeunes. Mais quand il m'a dit *Comment?* au lieu de *Hein?* je me suis dit : *Ça mérite.* Bon : il a vingt-deux ans, c'est un footballeur professionnel de L2, ils ont certainement reçu une éducation dans les clubs, mais ça prouve bien qu'on peut être *pauvre et poli.* »

★

Une belle ville se jugeant à la beauté de ses quartiers laids (le beau est toujours beau, et le grandiose grandiose).

★

Suivant le fil de l'eau, si nous restons ensemble *toute la vie,* c'est la fin de la vie qui se dévoile aussitôt (le corps, la mort; la conclusion, synonyme clandestin de l'éternité).

260

Bord Cadre est grand (très). Par réflexe, j'ai peur qu'il meure jeune, ou plus tôt, comme les races de gros chiens, qui vivent moins longtemps.

★

Dans cette ville, on achète un bien immobilier isolément de sa vue. On peut s'offrir un très bel appartement donnant sur des bidonvilles pour le même prix qu'une studette avec vue sur le port de La Rochelle. C'est pourtant la même adresse. La même façade. On raconte qu'un milliardaire américain avait acquis dans le temps un palais donnant d'un côté sur la baie d'Along, de l'autre sur la baie des Anges.

★

Timide : « Nous étions seuls dans le salon. Nous parlions du mariage de ma sœur. Ses yeux se sont posés sur moi. Le mariage de ma sœur s'annonçait compliqué. J'ai dit : *Pour moi aussi ce sera compliqué, Maman.* Elle a fait mine de ne pas comprendre. Elle m'a demandé pourquoi. J'ai dit : *Pour rien.* Ma mère était en train de repasser. Elle a éloigné son fer, elle s'est approchée de moi, elle a posé sa main sur ma main. Elle a dit : *Timide, je suis ta mère, tu peux tout me dire.* J'étais extrêmement angoissé. Je ne pouvais plus articuler un mot. Elle a répété : *Je suis ta mère, tu peux tout me dire.* Je sentais la chaleur de sa peau sur la mienne, ma paume devenait moite. Ma mère a continué : *Tu préfères les garçons, c'est ça ?* J'ai fait oui de la tête. Elle a retiré sa main. »

★

Silhouette : « Ma mère a eu plus de mal à accepter mon homosexualité, je pense, parce que pendant des années je lui ramenais des filles. »

Moi : « C'est drôle : tu dis *ramener des filles* comme si c'était pour elle que tu les ramenais, comme un gibier. »

Silhouette (*après une pause*) : « Oui, c'est assez drôle. »

★

*Elle avait un mot incroyable pour parler des coïncidences qui signifiait qu'en fait ce n'étaient pas des coïncidences.*

★

Déjà envie de demander pardon pour ce livre, de dire à mon père que je l'aime en guise d'excuse. Une voix me murmure : *Le livre fonctionne.*

★

La revue *Monstre* — *queer* et radicale — me commande une nouvelle. Je la lui livre. Leur réponse tarde. On me propose en définitive de *se rencontrer*. Deux hommes m'accueillent, les genoux en dedans, dans un loft couvert de dessins de bites. Pour *des raisons politiques*, la revue *Monstre* préfère ne pas publier ma nouvelle, qui pourrait *être perçue comme raciste, voire homophobe* (j'y

262

évoque notamment *de grosses femmes blacks* dans le RER,
vernissant leurs faux ongles en mangeant des frites).
On cite Éric Fassin, Didier Eribon. On me ressert du
thé aux algues. La revue *Monstre* précise : « Il n'y a pas
que les *grosses Blacks* qui se repeignent de faux ongles. »
Téhéran, à qui je relate cette censure, m'écrit : *Les idéo-
logues veulent faire correspondre la réalité à une idéologie.
Or la réalité est.*

★

46. De Lyon je n'ai gardé qu'un seul ami. Il s'appelle Louis. Il épouse. Assis entre la sœur et la nièce de la mariée, excepté les conversations de courtoisie, je me tiens silencieux et guette d'un œil vague tantôt l'écran de mon téléphone, tantôt quelque petit cousin encore sexuellement indéterminé. À Lyon, tout est déterminé. Je fais passer le plateau de fromages lorsqu'un jeune homme à l'haleine millésimée écrase sa main sur mon épaule : nous étions ensemble *en primaire,* avec *Thomas, Adeline, Clém et toute la smala,* est-ce que je me souviens ? *Vaguement.* Le jeune homme accentue la mitoyenneté de nos visages : quelles *conneries* j'ai pu faire — *chaque jour* une *nouvelle connerie,* je *rendais les profs oufs,* je cherchais constamment à être *le centre de l'attention.*

Le jeune homme m'intéresse tout à coup : à la date près, il me rappelle — me relate — les centaines de bêtises que j'aurais commises. Il est intarissable. Peinant d'abord à me figurer que tout cela, *c'est moi,* les souvenirs déferlent à la surface : il dit vrai. J'ai bien cassé plusieurs lits à force de rebondir dessus, pissé dans un pot de chambre renversé ensuite sur Camille, poursuivi les filles avec un serpent en caoutchouc adhésif enclavé sous mon prépuce (que je faisais tournoyer avec mon sexe), brisé une boule puante au cinéma pendant *La vie est belle* de Roberto Benigni (pour finir par me trouver éjecté de la salle par un exploitant furieux — cet épisode en particulier me consterne) ; j'ai fait démissionner un professeur de dessin, et fourré de mousse à raser les chouquettes de la kermesse. Mon narrateur s'interrompt un instant : il me demande si *tout va bien.*

J'ai tout oublié. Jusqu'aux noms. Jusqu'aux visages. Pourtant je me rappelle une infinité de bruits, de peaux, de couleurs, de températures. Am estime qu'en me « construisant un personnage de philosophe, enfin d'écrivain », je suis devenu moins drôle, que j'ai bâti ma « petite légende d'enfant rêveur et solitaire ».

Je n'ai rien effacé sciemment. Creusant au plus profond, il me semble qu'à l'époque je me savais intenable. C'est par la suite, à la frontière de l'adolescence, en bordure d'un mal-être, pour mieux apprécier mon chagrin, que j'ai retranché de ma biographie, année après année, les images trop formelles de la joie.

Cette envie qui n'est ni de boire, ni de manger, ni de pleurer, qui ne s'identifie pas sans détour, entre le sérac et l'éblouissement, qui convoie le sexe parfois, transite par le corps mais n'y séjourne pas, et qui n'est peut-être, au fond (pas plus, pas moins), rien d'autre qu'une envie de vivre quand on vit déjà.

★

Bord Cadre : « Quelqu'un, c'est quantité de petites portes. »

★

Je survole un extrait de mon journal, ancien de quelques années. Je ne m'y reconnais plus, ou plus tout à fait, ce qui me rassure et m'étonne : *Ma mélancolie extrême, permanente et maladive, face aux corps jeunes, à la fuite du temps. Le choc des photographies de Fou d'enfance, de la lecture de* L'Âge d'or. *Je ne sais ce que je deviendrai, mais tout m'ennuie excepté cela, et de plus en plus. Am m'accuse d'être attiré par les garçons proches en âge de ma découverte de la sexualité, de mon coming out manqué. Pour les consoler ? Pour recommencer à zéro ?*

★

*Premier hasard photographique.* À dix-neuf ans, je rencontre Sombre sur Internet. Au cours de la discussion, il m'envoie la photographie d'un garçon peinturluré en bleu avec qui il a eu une brève histoire, et dont je tombe instantanément amoureux. Je comprends que Sombre est plus attaché à moi que moi à lui (et n'ose lui demander les coordonnées de ce garçon). Le flirt avec Sombre dure deux jours. Nous nous perdons de vue. Quelques mois plus tard, à la suite d'une erreur de paramétrage du site de rencontres, s'affiche sur mon écran la liste des profils connectés dans le Tarn-et-Garonne. Je m'apprête à modifier les critères de recherche pour revenir à Paris lorsque je m'arrête sur le visage fascinant d'Am. Le temps se grippe. Nous parlons. Nous nous téléphonons. Nous nous rencontrons. Quelques mois plus tard, au seuil d'une histoire qui allait durer des années, Am me montre une ancienne photo de lui, peinturluré à l'occasion d'un spectacle. Frisson : je suis tombé amoureux dans la vie du garçon dont j'étais amoureux dans l'image, à la dérobée.

★

Entre deux livres, telle lettre jamais envoyée à Jean d'Oubli :

*Je trouve que tu ne rassures pas très bien*
*Mais je suis content de te voir*
*Je trouve que tu n'embrasses pas assez*
*Mais je suis content de te voir*
*Je trouve que tu aimes un peu trop le péril*
*Mais je suis content de te voir*
*Je trouve que tu gardes parfois la distance*
*Mais je suis content de te voir*
*Je trouve que tu me repousses un peu trop*
*Mais je suis content de te voir*
*Je trouve que tu t'excuses un peu trop*
*Mais je suis content de te voir*
*Je trouve que tu as besoin de plus de tendresse que tu ne le dis*
*Mais je suis content de te voir*
*Je ne sais pas, à chaque fois, juste avant, si je vais être content de te voir*
*Mais à chaque fois, je suis content de t'avoir vu*
*Et de te revoir bientôt : c'est ce que je dis*

\*

Dormir ventre-à-dos ; dos-à-ventre — ta chaleur contre ma déficience, sans nul visage à connaître, à reconnaître : *l'intimité interchangeable.*

\*

Calembour le Vieux tient son journal depuis 1982. Je lui demande s'il compte le publier un jour. Il répond que non, parce qu'il ne comprend plus la plupart de ses états passés : « La honte ou l'envie sont des émotions ancrées dans le temps. Une émotion n'a pas de mémoire. On recouvre son contour, une situation, jamais le sentiment lui-même. La douleur c'est pareil : on sait qu'on a eu mal, mais comment, combien, pourquoi ? C'est ce qui est terrible, quand on y pense : on a vécu pour rien. »

★

« Phénomène de société, l'hypersexualisation des enfants gagne peu à peu la France. Pour prévenir les dérives observées outre-Atlantique, un rapport parlementaire envisage l'interdiction des *Mini-Miss*, ces concours de beauté où des fillettes en bikinis, juchées sur des talons, et maquillées de la tête aux pieds, défilent tels des mannequins professionnels. [...] L'organisateur du concours français se défend : *Chez nous, c'est un jeu sans maquillage, les fillettes ont au moins 7 ans et portent des robes de princesse pour éviter toute érotisation et provocation.* [...] Avant d'ajouter : *Il est toujours difficile d'interdire, regardez l'exemple du voile... Si c'est trop aseptisé, est-ce que ça intéressera les gens ?* »

(Journal France-Amérique, mars 2012)

★

Persan s'indigne : « En quoi un paysage est-il plus moral qu'un jeune garçon, qu'une jeune fille ? Pourquoi a-t-on le droit, publiquement, de trouver ce paysage *beau*, et pas le jeune garçon, et pas la jeune fille ? »

★

**47.** La dernière page de *Télé 7 Jours* se lit en secret : coiffant les informations éditoriales, une demi-page rassemble les annonces de voyance, et les réseaux érotiques par téléphone. J'apprends par cœur le numéro de MEN ONLINE. Une après-midi que je suis seul à la maison — non encore équipé de cellulaire — je compose ses chiffres mystérieux. Une *pression sur la touche étoile* plus tard, je m'enfonce dans une jungle de voix hétérogènes : timbres immigrés, brames gutturaux, chuchotements en sueur, bouches en cul-de-poule, arpèges androgynes et intonations faussement détachées (qui rappellent le ton d'une réservation de restaurant). Qui sont ces hommes ?

Sur Internet, j'ai confondu l'icône et la fiction. Mes garçons d'images se bornaient à l'ordinateur, dans l'irréel de leur nu. Je n'ai conçu ni leur langage ni leur âme. Je considère tout à coup qu'eux aussi vieillissent probablement *comme tout le monde.*

Au téléphone, malgré leurs accents sépulcraux, les hommes du réseau ont le goût de réalité. Sont-ils dangereux ? Je ne suis coutumier que de la sécurité dans les rapports sociaux. J'écoute leur texte : les voix ont une *très bonne queue*, un *cul humide*, elles cherchent un *bon pompeur* ou *un gros mâle actif poilu.* Crânement juché sur ma connaissance du verbe *bander*, je me déçois : d'autres vocables demeurent à apprendre.

Ainsi que les adultes ne nous inculquent que la moitié des choses, j'effleure une réalité à moitié chargée sur l'écran. Comment s'assurer que ces voix *existent*? J'enregistre, à mon tour, un message calqué sur les autres, donnant pour conclure le numéro du bel Aurélien, grand frère de mon copain Louis qui, du haut de ses dix-neuf ans — et à la faveur de sa *copine* —, incarne toute l'étoffe des hommes. Pourquoi son numéro à lui? Selon quelle logique? Je raccroche en hâte.

Le soir même, après son entraînement de handball, le bel Aurélien rallume son mobile et trouve huit messages lascifs déposés sur son répondeur. Il n'y a pas d'âge pour être suspecté d'homosexualité. Le bel Aurélien ne tarde pas à remonter jusqu'au réseau téléphonique, à identifier mon message, à le faire écouter à Louis, qui authentifie ma voix. Dès le lendemain, on me confronte à ma *sale blague*. Le grand frère n'imagine guère d'autre motif possible que celui du canular. Je me suis tenu coi un long moment lorsque, forcé par la sincérité, je finis par articuler : « C'était pour voir si c'était vrai. »

L'écrivain Claude Arnaud dit une chose simple et belle : « Écrire sur soi, c'est vivre au carré. »

★

*Grande beauté, qui ralentit le temps.*

★

Tel skipper sur son voilier, fier de sa trouvaille (caressant sa barbe dorée) : « Je suis vendeur de couchers de soleil. »

★

À Bord Cadre, il confesse des années plus tard qu'à chaque fois qu'ils se rendaient ensemble dans sa famille, il repêchait dans une poubelle les capotes usagées de son petit frère (hétérosexuel), les découpait, les sirotait, et se masturbait dans cette gelée froide. Bord Cadre, habituellement si ouvert d'esprit, se trouve pâle en me relatant cet aveu : « La perversion, c'est de me le dire. »

★

Nez partage sa vie entre l'entreprise de pompes funèbres qu'il a fondée, les saunas gays et les backrooms. Quand il a fini d'embaumer les morts, il s'éclipse et embaume les queues — il y passe ses week-ends, ses nuits, ses congés, il boit toutes sortes de liquides, se fait pénétrer en multiplication par hommes et germes masqués ; ne jouit jamais. Bord Cadre ne veut pas faire montre de jugement moral quant à la vie de Nez, mais il voudrait aider son ami. Je ne sais quel conseil lui donner.

★

À un présentateur de télévision demandant comment continuer de croire en Dieu lorsque toute votre famille avait péri dans un tremblement de terre, un prêtre avait fait cette réponse : « Le Seigneur ne nous impose pas davantage que ce que *nous ne pouvons supporter.* » Je me figure qu'il en va peut-être de même pour Nez. Je dis : « Nez a défini un périmètre à l'intérieur duquel il se possède. »

★

Chercher, en vain, les images de la première masturbation, du premier plaisir fabriqué ; réaliser qu'on a gommé cette scène-là, non par déni, mais parce que, au départ, elle ne signifiait rien.

273

＊

SMS de Bord Cadre :

Il y a eu initiation. Le grand O de sa bouche attendait une réponse. Nous la lui avons donnée. Et notre plaisir ne fut que son désir, petit galopin de nos corps. Yves Navarre. (Tu vas aimer ce livre)

＊

Une femme d'une cinquantaine d'années, tirée à quatre épingles (peau y compris), directrice de communication, plutôt jolie, richement vêtue, m'explique, parce que je *peux comprendre en tant qu'écrivain,* une vérité sienne assimilée avec le temps, dont elle vient de lire la confirmation, *écrite noir sur blanc,* dans telle revue : « Une mère fait un fils. Une femme fait un homme. » Elle sait de quoi elle parle, elle a *quatre garçons.*

＊

N'oser parler pour soi — faire parler les autres.

＊

Nez manque de clients (selon ses termes : « Je manque de morts »). Il écrit un SMS à Bord Cadre : *Je déambule en priant qu'un bus se renverse sur l'A86.* Dans la foulée, Nez envoie un second message : *Un jour, on m'appellera pour me dire que mes parents sont morts et je serai seul avec*

274

*mes cercueils dans le sous-sol. Ce seront mes deux derniers clients.*

★

*N'oser parler pour soi — faire parler les autres.*
(Inventer les autres.)

★

**48.** Entre la déportation de mon grand-père, les gardes de mon père à l'hôpital, la phobie des accidents domestiques de ma mère et l'hygiénisme de ma grand-mère, ma volonté de suivre la formation de secourisme que nous vend l'infirmière du collège tient de l'évidence. Comme par scénario, Luc, mon rêve blond de trois lettres, lève la main en même temps que moi.

Le premier jour sera consacré aux anecdotes cocasses rencontrées par le pompier responsable de notre formation. Telle femme n'a su retirer la truite introduite dans son vagin : les branchies du poisson expirant se sont épanouies, *comme un parapluie*. Tel septuagénaire a pensé faire croire aux urgentistes qu'il s'était assis par mégarde sur le culot d'une bouteille de bière, etc. Luc est hilare ; et moi, je regarde Luc.

Arrive le temps des exercices. Il s'agit en premier lieu de soigner une brûlure, une fracture, une entorse, ou de pratiquer un massage cardiaque. C'est l'exercice le plus ardu : quand les autres malheurs se résolvent par un filet continu d'eau fraîche sur la peau ou une attelle de fortune, il faut ici appliquer un *modus operandi*. Six doigts à compter de la base du cou, dix pressions thoraciques, cinq souffles dans la bouche en pinçant le nez du patient (dont on aura incliné la tête en arrière). Si les essais liminaires sont accomplis sur des bustes de mannequins asexués, le formateur annonce qu'à présent nous allons nous entraîner *les uns sur les autres.*

Pour la première fois de ma vie érotique, un désir conscient est près de se matérialiser (encouragé, en prime, par la légitimité du cadre éducatif). Les garçons figurant en nombre supérieur, j'obtiens sans embarras d'être le binôme de Luc; lequel s'allonge sur le tapis, ferme les yeux, entrouvre légèrement les lèvres; et patiente. On dirait qu'il est mort, ou qu'il s'offre à la vie. Sans attendre le signal de départ, je m'approche de son corps, mesure la distance de six doigts, répartis mes mains à plat sur sa poitrine, que je compresse à dix reprises avant de poser mes lèvres sur ses lèvres. Je découvre l'odeur qu'a l'intérieur d'un visage. La chanson de Sigur Rós m'escorte en silence. Je tombe les paupières lorsque, comme dans le clip islandais, on me tracte brutalement par le col.

J'ai mécompris l'exercice : le formateur nous a sommé de *mimer un sauvetage — pas* d'*échanger* nos germes. Peu importe : je suis devenu un mur sans oreilles. J'ai la salive de Luc dans ma bouche.

L'haltérophile : « Certaines personnes ne savent pas ce qu'est une émotion. Quand ils éprouvent une émotion, ils pensent qu'ils sont malades. »

*

Idée que le sexe au sein du couple ne peut remplacer le sexe en son dehors, que le frisson de la fois unique, ou de la fois rare, ne saurait se substituer à la pente douce du corps qu'on connaît comme le sien. Bord Cadre dit : « Il faut savoir renouveler la sexualité à deux. » Rouge dit : « Une pression sociale considérable te fait culpabiliser si tu n'entretiens pas une sexualité fréquente avec ton partenaire officiel. Des couples rompent pour cette raison, qui est une mauvaise raison. » Je m'examine. Rouge ajoute : « Socialement, les deux relations les plus importantes sont la famille et l'amour. Pour autant, le sexe dans la famille reste proscrit alors qu'il est démesurément encouragé dans la relation amoureuse. »

*

Accepter les chapitres d'amour pour ce qu'ils sont, sans éprouver le sentiment d'une perte : *ça a été.*

★

Calembour le Jeune publie son premier roman, qui raconte l'idylle d'un jeune couple en voyage. Son grand-père lui téléphone : il ne comprend pas comment un éditeur parisien a donné son feu vert à l'impression du verbe « pisser », employé quatre fois dans son texte. *S'ils s'en rendent compte, ils pourraient retirer le livre des librairies.*

★

J'explique à Bord Cadre que je ne voudrais pas écrire un livre « communautaire », un livre « gay ». Bord Cadre est pessimiste : « Je ne vois pas comment c'est possible, tu parles de ta sexualité et tu es gay. »

★

Sincère : « L'amour, c'est comme les masques à oxygène dans les avions. Il faut se sauver soi-même avant de sauver les autres. »

★

*Second hasard photographique.* J'échange des messages via une application de rencontres pour iPhone avec un certain Cactus. Comme l'application est *géolocalisée,* les

279

garçons avec qui je converse sont peu ou prou mes voisins de quartier. La conversation avec Cactus est plaisante, mais sa photo ne m'attire pas plus que cela. Le contact s'étiole. Un soir, Bel Horizon, sourire aux lèvres, me présente une photographie de son nouveau voisin, qui est venu prendre un verre chez lui. Je reconnais Cactus, sous un autre angle, ou bien doté d'une expression que je ne lui connaissais pas. Je pressens une bonté de cœur (la douceur qui me touche). Comme si de rien n'était, je recontacte Cactus via l'application de rencontres sur téléphone. Nous finissons par nous rencontrer. Nous tombons un peu amoureux. Je révèle à Cactus le hasard photographique qui a provoqué mon désir de rendez-vous, mais n'ose en informer Bel Horizon, qui nourrit des sentiments à l'endroit de son voisin — bien que celui-ci m'assure qu'ils sont unilatéraux. Pendant quelques semaines, je passe en clandestin devant le palier de mon ami. Lorsque je lui avoue que j'ai un nouvel amoureux, qu'il s'agit de son voisin (et que notre histoire fut provoquée par une photographie qu'il a lui-même prise), il m'en veut; notre relation se brise durant plusieurs mois.

★

Bord Cadre : « Freud dit qu'il est quasiment impossible de démarrer une analyse au-delà de cinquante ans. Trop de vie accumulée. Trop de barrières, de protections édifiées. On vit derrière un mur qui est devenu impénétrable. »

★

Bord Cadre a souvent entendu sa mère faire l'amour durant son enfance. Cette seule pensée me paraît inconcevable : ma mère ne peut pas faire l'amour. Une question fuse : lui ai-je interdit d'avoir une sexualité (ou bien m'a-t-elle confié la sienne pour deux)?

*

**49.** Les homosexuels n'existent peut-être pas *en vrai* — contrairement au désir *pour les garçons* — (quant au désir *des garçons*, il est partout). Plus j'observe les mâles de ma classe, plus la teneur obsessionnelle de leurs conversations se fait jour. Ils ne parlent que de *ça* : mieux qu'un sujet, la sexualité est pour eux un outil (de domination, d'humiliation, de plaisanterie, de ciment social, d'ordre hiérarchique, de créativité, de plaisir). Le récit des expériences d'alcôve est réservé aux privilégiés, ou aux initiés. Il me faut composer.

Les séances de gymnastique sont l'occasion d'explorer le terrain des raffineries entre hommes — les filles n'appartenant pour l'heure qu'au domaine du verbe. On y trouve des sadiques et des masochistes, des dominateurs et des adeptes de la soumission, des exhibitionnistes et des voyeurs. Alexandre hurle comme un cochon, comprimé sous des matelas de sol par Julien et Simon; Yassar force Baptiste à se cramponner aux anneaux sous peine de lui pincer les couilles (il en profite pour loucher sur le jour du bermuda).

Dispersant les hormones, le professeur nous réunit sur le tapis central. Exercice de *mobilisation articulaire et respiratoire* : chacun doit s'essayer au culbuto. Il faut s'allonger, et rabattre ses jambes au-dessus de soi jusqu'à toucher le sol à l'arrière avec la pointe des pieds. La figure compresse le diaphragme, empêchant d'inspirer à pleins poumons. J'ai fermé les yeux par automatisme. Les rouvrant, je prends conscience, déconcerté, d'une indéniable géométrie : mon visage se trouve à quelques centimètres de mon entrejambe.

Le soir même, je me rue dans la salle de bains et m'enferme pour reproduire le geste, dépouillé du survêtement occultant. Mon sexe pend comme une grappe. Sa pointe effleure quasiment celle de mon nez. C'est évident : il faut *bander*. Tirant la langue de toutes mes forces, je parviens à effleurer la lisseur du gland. La poussée d'une main derrière ma nuque complète la besogne, et me permet d'introduire au moins un tiers du but entre mes joues. Je bois, pour la première fois, tout le produit de ma jouissance. Malgré la prouesse, les premières sensations de bien-être s'accompagnent d'une douleur aiguë au niveau de la région cervicale. À cause de mon *torticolis à la gym*, je porte une minerve durant cinq jours.

L'idée souvent vérifiée qu'un enfant ne ressemble pas à son père *et* à sa mère, mais, successivement, exclusivement à son père, ou exclusivement à sa mère. Comme si la génétique nous contraignait à administrer deux filiations simultanées, et ne se fondant jamais entre elles.

★

Bord Cadre : « Je suis sûr que ma grand-mère voudrait que je chante un *Ave Maria* à son enterrement. Mais comment chanter quand on pleure ? Il vaudrait mieux qu'elle en profite de son vivant. (*Une pause.*) Il faudrait organiser des pré-enterrements en présence du mort — je veux dire, du *futur mort.* »

★

Persan : « Si l'on pouvait tromper un homme ou une femme avec un panorama, nous serions beaucoup plus infidèles. »

284

*Souvenir de la bite d'Arnaud, unique en son genre et dans la mémoire de ma bouche, littéralement enveloppée dans un papier de soie comestible et sucré, étoffe douce comme un testicule de nourrisson, rose pareille, et qui s'ouvre à la façon d'un bourgeon en accéléré lorsque s'impose en elle une raideur qui porte bien son nom, droite, tendue vers le plafond mais en réalité vers le soleil, comme la baguette d'un cadran solaire, parfaitement large; naturelle autant que le serait une bite qui aurait oublié son argot. Par ailleurs, Arnaud suce en faisant toupiller sa langue comme une guimauve qu'on travaille avec opiniâtreté, mais qui n'aurait jamais le goût entêtant de la mélasse.*

★

« La brute seule bande bien, et la foutrerie est le lyrisme du peuple. Foutre, c'est aspirer à entrer dans un autre, et l'artiste ne sort jamais de lui-même » : relire étonné cette phrase de Baudelaire, ne la comprendre (l'accepter) qu'à moitié — moyennant le désamorçage d'une contradiction non échafaudée exprès par l'auteur.

★

S'arrêter sur un mot de soi devenu indéchiffrable. Le mot, comme le souvenir, a forcément un sens : mais lequel?

★

Me suis fait à l'idée de terminer ce livre coûte que coûte. On me demande ce que j'écris *en ce moment*. Je réponds. On dit : « C'est une bonne idée. » Je précise qu'il s'agit de ma sexualité *avant la sexualité*, avant l'adolescence, non d'une recension de ma vie sexuelle *actuelle* ; ce qui est en partie vrai.

★

Envie d'être avalé par une forêt sans appétit.

★

**50.** L'Irlande est humide. À l'occasion d'un congrès médical, j'accompagne mes parents à Édimbourg. Les conférences achevées, mon père loue une voiture pour visiter l'Écosse (où la conjugaison du verbe *paître*, à la troisième personne du pluriel, semble un mot magique). Partout, des moutons *paissent* : c'en est assez pour me réjouir. Je fixe le paysage qui défile en égrenant la liste des mots récemment intégrés, satisfait d'en ignorer tant d'autres (et leurs sensations y afférentes).

La semaine précédente, une *bonne gastro* m'a permis de manquer l'école deux jours entiers. Mon père est entré dans sa chambre, où je regardais la télévision, pour la quitter aussitôt en poussant des cris d'orfraie : absorbé par un dessin animé, j'avais omis les désagréments que mon corps chétif pouvait produire. La voix de mon père est une voix de comédie : j'éclate de rire en secouant la couette. C'est *une puanteur*, on n'imagine pas qu'une *si petite chose* puisse *sentir aussi mauvais*. Alertée par le chahut, ma mère monte dans la chambre et me houspille en souriant.

Assis à l'arrière de la voiture qui longe les lacs-miroirs

du Perthshire, l'envie me vient de reproduire les circonstances de ce passage complice. Contractant les muscles abdominaux, je tente de faire réagir mon estomac et mes intestins, sans succès. La route passe devant un castel de briques brunes qui pourrait être toscan. Nous nous garons sur la bordure pour photographier le spectacle. Avec la route qui repart, l'évidence point : je suis souvent saisi de spasmes lorsque je me masturbe, en cachette, sur le *palier du haut*, devant l'ordinateur (parce que mes parents sont *en bas*.)

Imbibée de salive, ma main plonge discrètement sous le manteau à l'intérieur du slip et commence de pratiquer son va-et-vient. Un rayon de sang déchire l'horizon. Ma mère se retourne pour me demander si je ne *trouve pas ça beau*. Les yeux écarquillés, j'atteste la magnificence du ciel.

Le moteur bouillonne et finit, à mesure qu'affleure la mécanique du plaisir, par libérer les produits escomptés. Leur effet dépasse mes espérances. La voiture pile. Face aux parents *consternés* je suis saisi d'un fou rire, qui est moins un rire qu'une façon de partager le meilleur.

Le sexologue en Galilée défend plusieurs théories :

— « L'époque actuelle a imposé un monisme sexuel. Impossible de penser sans le sexe depuis Freud. Je veux croire que de nombreuses zones de la vie ne sont pas sexuelles et, surtout, que le sexe ne conditionne pas tout. Quand on voit la tour Eiffel, on dit tout de suite : *C'est un symbole phallique.* Mais quand on voit son sexe, on ne dit pas : *C'est un symbole de tour Eiffel.* »

— « Plusieurs études prouvent que les couples qui durent le plus longtemps sont ceux qui ont le moins de rapports sexuels. »

— « Dans les cliniques de désintoxication à l'alcool, il n'existe qu'un seul traitement : l'abstinence. C'est la même chose pour le jeu, et la plupart des addictions. Mais comment traiter la dépendance au sexe ? Peut-on préconiser l'abstinence, là aussi ? »

— « Avant le XXᵉ siècle, la sexualité n'existe pas. Il y a la littérature grivoise, les fables licencieuses, il y a Sade et l'érotisme, mais la sexualité en tant que fait de société, ça n'existe pas. »

＊

Matelot : « Quand je soupçonne mon mec de m'avoir trompé, je m'arrange pour lui renifler la bite. S'il a enfilé une capote, je le sais de suite. Ensuite je le confronte, je lui jure que *je sens ces choses-là* : je fais passer ça pour un truc très mystique. »

＊

À ma grande joie, Le Cas découvre l'amour : « J'ai fait du saut à l'élastique pour la première fois. C'était une sensation incomparable — *non comparable* à une autre sensation. Impossible de décrire ce que j'ai éprouvé en déplaçant l'intensité d'une perception antérieure. Je ressens la même chose avec Parcourt : l'impossibilité de comparer notre relation — ce qu'on partage — à une autre relation, à une autre forme de partage (amical, familial), c'est une expérience originale. »

＊

Par la suite, ce sont d'infinis allers-retours entre Paris et Montauban, il n'y a pas de TGV, il faut presque une journée pour rejoindre ta campagne. Nous édifions un langage. À l'étage, dans la chambre du frère qui fait du parapente, pendant que ta mère sort du four le pain d'épice, nous cuisons nos propres gâteaux.

＊

Violette : « Il y a deux ans, j'étais assise à côté de mon plus grand fils, quand mes yeux se sont posés sur une forme bizarre dans son caleçon. Je lui demande ce que c'est, sans réfléchir, et il répond : *Maman, est-ce que tout va bien ?* Je me suis sentie honteuse. C'était un réflexe : tout à coup, son zizi était devenu une bite. Je ne m'y attendais pas ».

*

La haine bourgeoise de l'écriture « nombriliste », de ces écrivains qui *ne savent parler* que de leurs *couches-culottes* et de *la mort de maman*, est une haine de soi. (Car ce que signifie *bourgeois*, si l'on échafaude une définition dépourvue de critères socio-économiques, c'est d'abord une propension à *se taire*, à surtout ne pas *se regarder*.

*

Écrire sur la sexualité me donne le sentiment de douter de mon sujet, quand je doute, à n'en pas douter (comme c'est la règle ordinaire), de *ce que j'écris*.

*

**51.** Mon principal problème est un problème d'organisation. Lorsque j'arrive au bas de la page, comme je n'ai plus de feuilles, j'écris dans la marge. Mes rédactions sont constellées de rayures, de barbouillages, de dessins (et, de temps à autre, d'élégantes traces d'effaceur). À l'heure des révisions, mes parents repêchent tel schéma perdu sur la photosynthèse entre Danton et Robespierre ; quant au vocabulaire d'anglais, il est constellé de figures géométriques (on m'a offert un nouveau compas). Un soir, ma mère annule un dîner chez des amis pour me faire réciter un contrôle de géologie (mais le contrôle a déjà eu lieu : j'ai confondu mes agendas de cinquième et de quatrième). Le lendemain, on m'inscrit à un cours de méthodologie.

Ma mère se gare rue de Sèze, face à un atelier de paniers tressés par des aveugles. J'ouvre la portière. J'ausculte le décor. Je vois Cédric.

Comme moi, la méthode n'est *pas son fort*. C'est sa mère qui le dit. Ma mère engage la conversation en me caressant les cheveux ; la mère de Cédric ajoute qu'*on les aime quand même* : elles sympathisent. Véronique est une femme gracieuse, cheveux courts, riant avec élégance. Contraints de nous rencontrer, Cédric et moi nous sou- rions. C'est la flagrance qui s'exprime.

Pour la première fois, un désir devient un projet. Cédric est beau : j'ai envie de connaître le contenu de sa vie. Il dit : « Je suis heureux de te rencontrer. »

En leçon de méthode, nous apprenons qu'il existe deux manières de retenir une information : la *mémoire immédiate* et la *mémoire de travail*. La première, nous l'utilisons pour composer un numéro de téléphone (on oublie le numéro dès qu'on l'a composé). La seconde permet au contraire de se souvenir des dates moins mnémotechniques que la bataille de Marignan. L'ob- jectif du cours est de transformer la mémoire immédiate en mémoire de travail.

Notre enseignante omet de préciser que la cervelle fonctionne d'abord par émotions. Hormis le sourire adorable de Cédric, nos promesses de vacances, la vie qui soudainement adopte une *saveur*, j'ai tout oublié de la mémoire.

Matelot : « Dans *tension sexuelle* il y a *tension*. Tu ne peux pas *bien* t'entendre avec quelqu'un que tu désires vraiment. »

*

Nez : « J'arrête la prostitution. Je passe au troc. Enfin, moitié prostitution moitié troc. Il me donne 60 en liquide, et le reste en tee-shirts. »
Bord Cadre : « Tu es sûr qu'ils sont à ta taille ? »

*

Écrire des livres différents les uns des autres, pour se forcer à changer soi-même.

*

Dans ce bistro parisien, les toilettes situées en sous-sol sont mixtes. On y trouve des cabines individuelles, et des pissotières dépourvues de brise-vue. Peinant à uriner à côté d'un inconnu (laquelle aptitude constitue sans doute l'un des commandements de la masculinité), je me dirige vers une cabine sans tirer la porte derrière moi; obéissant du même coup à l'hygiénisme (qui me dissuade de toucher la poignée), et à la logique même (puisque dans ma position, de dos, je ne serai ni plus ni moins exposé que face à une pissotière). Mon corps se détend lorsqu'une jeune grand-mère paraît, et maugrée aussitôt. Elle revient l'instant d'après escortée d'un serveur, qui fond sur moi : on n'est pas *chez les exhibitionnistes*, quand on est poli on *ferme la porte*. La jeune grand-mère — qui a pris de l'âge — me lance : « Imaginez que des enfants vous aient vu. » Arrêt. Je fixe la coalition de mes ennemis pour comprendre que la dialectique n'y fera rien. À l'instar des maisons d'hôtes qui facturent le paysage, c'est leur propre vie qu'ils me reprochent.

*

Mail à Bord Cadre :

J'ai l'impression que je ne sais plus dire ces mots, ils sont si célèbres, si dévoyés qu'ils résonnent dans un vide qui effraie, parce qu'il ne peut qu'être extérieur à moi. Cocteau dit : *Il n'y a pas d'amour, il n'y a que des preuves d'amour.* J'aime cette idée. Je t'aime, c'est les menottes qu'on croche pour la bonne cause. Je le ressens comme cela. Le prix définitif, qui pèse et ne revient pas.

Mais je le répète : aucun mot ne mérite d'être tu.

(J'hésite longtemps à écrire ici : *Je ne t'en veux pas* — mais quelle violence, *Je ne t'en veux pas*, à quelqu'un qui vous a dit *Je t'aime* !)

J'ai simplement besoin, encore un moment, de faire comme si l'on venait de se rencontrer.

De mon côté, j'utiliserai les contorsions, elles sont plus compliquées, mais plus rares.

Voici un baiser, de la couleur que tu voudras.

★

Idée en eau de roche, comme une réponse à la moitié de ma vie : la jeunesse, c'est l'âge du plus jeune.

★

Am, de but en blanc, au téléphone : « Quand je suis parti de chez mes parents, je t'avais dans la poche. Quand tu m'as quitté, ma poche était vide de toi, et de toute mon enfance. »

★

*Gaspard a regardé dehors. Il faisait beau. Il a demandé à
Camille, Giuseppe, Hubert et Charles : « Si on le faisait? »
Les garçons se sont arrêtés. Ce qu'on a dit, c'était pour rire.
Pour impressionner les filles. Gaspard a dit : « Pas que. » Il a
ôté ses bottes, sa chemise, ses chaussettes, son pantalon, son
caleçon blanc, dans un geste si hâtif et si décidé qu'il a semblé
ôter sa pudeur avec. Il est sorti.*

*Derrière la baie vitrée, des nuances de vert coulent sur le
paysage. Il y a des prairies jusqu'à la ligne d'horizon. Quant
à la chair, elle n'est ni rose ni blanche. Elle est l'opposé d'une
couleur : un mouvement. Gaspard fait des signes. Dans la
maison, on entend la respiration des uns et des autres. Puis
tout à coup : Giuseppe se déshabille pour de bon.*

*Les arbres fruitiers n'ont rien à dire. Le vent perd sa tié-
deur. On est seuls. Charles tape sur l'épaule de Camille et
démarre une course folle. Il traverse la plaine à une vitesse
considérable. Il se jette à plat ventre sur le gazon. Camille
relève le défi, et file le rejoindre. Il s'écroule près de lui.*

297

*Le corps de Gaspard est musculeux. L'adjectif paraît inventé pour lui. Il a conscience de son corps. C'est le plus clair, le plus porté vers le monde. En face, le corps d'Hubert s'ignore. Le garçon brun fixe les hanches creuses de Giuseppe, qui n'a pas de ventre, mais se cambre comme un père. Les sexes sont abrégés par la fraîcheur de la bruine; sauf celui de Camille, dont la pesanteur a mieux séduit l'extrémité.*

*Face au crachin, Giuseppe se met à pisser. C'est Gaspard qui a donné l'ordre. Par réflexe, les garçons se rangent en ligne. Ils font mine de ne rien voir; alors ils écoutent. Trois ou quatre sexes s'animent imperceptiblement, comme la valse des hautes herbes, au mois d'août, où l'on se cache pour l'amour officiel.*

Matelot : « La nouvelle mode c'est d'appeler tout le monde *pédophile*. Un type de cinquante ans qui s'affiche à côté d'une ou d'un ado de dix-sept ans, on dit : *Il est pédophile*. Je suis désolé, les mots ont un sens. À ce moment-là, je veux bien être zoophile avec un antiquaire. »

★

Je réalise que Fleuriste m'évoque en plein, au fond des yeux, malgré la rancœur qu'il a suscitée en moi depuis sa manière mécanique d'être en nuit, le charme au poivre bleu de Barbara.

★

Bel Horizon me fait remarquer que le français est la « langue unique » où les phrases *Je suis enceinte de mon mari* et *Je suis enceinte de mon premier fils* signifient la même chose.

299

★

Culpabilité de n'avoir pas pris en compte tels détails de mon enfance, tels aspects de ma famille (comme si l'exhaustivité était permise).

★

Quand elle avalait son sexe, lui pensait à autre chose, à d'autres femmes (à plusieurs femmes), si bien qu'en jouissant il espérait que tous ces fantasmes, tous ces adultères ne laissent pas sur la langue un goût particulier.

★

Tel documentaire interminable, relatant au moyen de longs plans fixes la maladie, jusqu'à la mort de la mère de son réalisateur : deux heures de chagrin égoïste. J'éprouve l'impression d'assister à l'enterrement d'une personne que je ne connais pas (et l'ennui se fait tel que j'en arrive à considérer qu'il est plus agréable d'assister à l'enterrement d'une personne que l'on connaît).

★

Comme il me touche, ce corps de jeune homme maigre, qui semble moins accompagner le temps qu'en découdre avec lui, s'aplanir au sommet quand il devrait aller de l'avant — en un mot : ce corps qui recule devant son âge.

*

Ma mère dit (je ne voudrais pas qu'elle dise autre chose) : « Il paraît que Cyril Collard aimait se faire uriner dessus. C'était son fantasme. D'être par terre et que quelqu'un se soulage sur lui. Chacun son truc mais si tu veux, dans l'ordre de mes priorités de vie, ce n'est pas la première chose qui me viendrait à l'esprit. »

*

Travesti évoque l'un de ses collègues nommé Sylvie (un ancien du métier). Les clients désertent de loin en loin son appartement, parce qu'il est trop sale, et qu'elle est trop abîmée. En conséquence de quoi, Sylvie a ses faiblesses : « L'autre jour, un grand Noir vient me voir. Je lui demande de me donner l'argent. Au lieu de ça, il sort son sexe et me le colle dans la bouche. J'ai hésité une seconde, et puis j'y suis allée. Je me suis dit : *Au moins il fait honneur à ta vieillesse.* »

*

Sylvie a soixante-trois ans pour de vrai, quarante-huit dans ses annonces. Travesti, qui ne s'en laisse pas conter, est ébahi devant les garçons de dix-huit, de dix-neuf ans qui continuent de frapper à sa porte, *malgré qu'elle n'ait plus de dents*, et *des épaules comme ça*. Il baisse d'un ton : « Elle reçoit aussi de vieux pédophiles. Dans ces cas-là elle fait des tresses à sa perruque, et au téléphone demande d'une petite voix : *Tu diras rien à ta maman hein ?* Alors les types débarquent chez cette armoire à glace en jupette d'écolière qui lèche un sucre d'orge — et ce qui est saisissant, c'est *qu'ils y croient.* » Travesti conclut : « On ne se figurera jamais assez le pouvoir du masque. »

★

Bord Cadre, après un silence : « Les types mariés qui vont voir un travesti se disent probablement : *Je reste entre hommes*. Je pense que ça les rassure. »

★

**52.** Cédric a un cadet, qui porte les cheveux longs et fait du mannequinat. Si les frères se ressemblent, le plus jeune est un véritable Tadzio — je n'ai jamais approché de si près la grâce. Qu'importe : l'affection pour mon ami grandit de jour en jour. En l'espace de quelques semaines, nos parents deviennent amis. Ils se tutoient. Le temps libre devient le temps de Cédric. Un jour, sa mère lance à la mienne, sur le pas de la porte : *Ils se sont bien trouvés ces deux-là. Cédric me parle d'Arthur comme s'il en était amoureux.*

Ainsi que le veut la coutume, le plaisir cimente les liens d'amitié. De masturbation en masturbation, l'envie est chaque fois plus forte de toucher l'intimité de Cédric (que j'ai seulement pu *voir* sous forme de statue — après qu'il a répliqué son sexe dur, avec talent, et en terre glaise. Ce jour-là, je rêve qu'il me permette de repartir avec, pour le faire *cuire chez moi*. Mais le soir venu, alors que je m'approche du fétiche, Cédric paraît de nulle part, et saisit d'un geste sa poterie qu'il malaxe jusqu'à former une boule). Son intimité, une fois de trop, m'a échappé.

Un soir qu'il dort à la maison, j'échafaude un plan terrible. J'ai volé dans la trousse de toilette de mon père l'un de ces comprimés qu'il dépose par quarts sous sa langue le soir. Le comprimé dissous dans un verre de lait de soja, je propose à Cédric de goûter une *délicieuse boisson rapportée de Paris par ma tante*. Soupçonneux, mon ami goûte le breuvage du bout des lèvres. Le verdict tombe : c'est *dégueulasse*. J'insiste tant et tant qu'il finit par absorber deux lampées supplémentaires du philtre d'amour. Mon cœur galope en troupeau.

Le soir vient. Comme c'est la coutume, mon ami se met à deviser dans le noir — mais je suis *fatigué* : j'aimerais *bien dormir*. Après dix minutes de silence, flairant les inspirations profondes de l'endormissement, je tire insensiblement son édredon vers moi, jusqu'à distinguer la forme de son sexe sous le pyjama. La molécule aura-t-elle produit son effet ? Cédric dort-il profondément ? Sera-t-il réveillé par mes lèvres autour de son sexe ?

Ce n'est plus la peine : je viens de jouir.

Le taxi roule sous un ciel de brume, l'aéroport apparaît derrière les panneaux publicitaires. Tu somnoles en fixant le compteur. Tu ne sais pas bien pourquoi tu pars. Une autre ville t'attend. Sur le moment, je t'ai encouragé : les projets. Aujourd'hui qu'un rayon de soleil dore l'évier de la cuisine, qu'il reste une trace de café dans ta dernière tasse bue, le projet devient notre défaite. Je vois la vie entre nous, la vie avec toi, l'idée surréaliste de *partir*, comme la chanson d'Higelin. Tu descends de voiture sous le tapage des avions. Une Américaine en jogging te bouscule, elle parle du *Moulin-Wouge*. Tu transportes deux valises, le chauffeur ne t'aide pas à les extraire du coffre, tu le paies, le taxi redémarre. Deux valises, une sacoche achetée ensemble au vide-grenier du quartier, un téléphone qui te connecte au monde des solitaires, le rayon du soleil sur l'évier. Je lève les yeux entre nous. Rien qu'un boulevard périphérique ; bientôt plusieurs pays. Après le pain, et son durcissement : ses miettes. On te servira un repas sous alu avec du camembert sur le côté. Tu diras trois mots à ton voisin. Tu penseras à moi. J'attendrai les yeux pleins. Chargement du toboggan. Vérification des portes opposées. Attache ta ceinture, redresse ton siège : c'est fini entre nous.

★

Je prends un verre avec Jean d'Oubli, plusieurs mois après la rupture. Ses cheveux sont plus longs, notre rapport n'a pas évolué : il est paumé, je suis péremptoire. Il doute, je le sermonne. Jean d'Oubli dit : « Je m'imaginais en couple avec toi et je me voyais à nouveau dans la position de *l'accompagnant*. Je ne voulais pas reproduire ça. » Comme j'exprime sans l'admettre une forme de rancœur, il ajoute : « Et tu ne pouvais pas concevoir que quelqu'un puisse ne pas *te vouloir*. »

★

Persan est devenu un souvenir.

★

*Motif de consultation* : le trouble consiste à vérifier souvent et longuement qu'aucune photographie ne la montre nue sur les réseaux sociaux d'Internet (Facebook, Copains d'avant, etc.), alors qu'elle sait de façon certaine n'avoir jamais été photographiée nue. Elle utilise, pour ces vérifications, des profils qu'elle a créés sous divers pseudonymes. Elle vérifie également sur Google que rien n'apparaît lorsqu'elle tape son prénom et son nom suivi de « à poil », « nue », « salope », « pute », etc. Elle est également angoissée à l'idée que son compagnon tombe sur une de ces photos, soit en cherchant lui-même sur Internet, soit parce qu'un ami la lui aurait montrée, et qu'à cause de cela il la quitte.

★

Bord Cadre : « Nez a voté Sarkozy aux dernières élections, Hollande ensuite, et Robert Hue en 2002. Je crois qu'il n'a pas tellement d'idées politiques : du moment qu'il se fait baiser, il est content. »

★

*Son bonheur, c'était d'avoir deux bonheurs.*

★

Le vieil homme avise la jeunesse : « Pendant longtemps on oublie qu'on a un corps. C'est une machine qui fonctionne toute seule, comme la Sécurité sociale ou l'électricité. Mais un jour le corps se réveille : le camelot frappe à la porte. »

★

LES *VERBATIM* DU CAFÉ DU TEMPS

Femme 1 : « J'ai soixante-dix ans ; mes vingt ans sont loin. Parfois, certains souvenirs remontent comme des bulles. Ils donnent un son, un battement de cœur, ils explosent. »

Femme 2 : « Je n'ai pas vu le temps passer. Un jour j'ai eu quarante ans et je me suis dit : *il y a vingt ans, tu avais vingt ans.* Je n'y croyais pas. »

307

Femme 3 : « Il ne faut pas dire que les émotions ne sont valables qu'au moment où elles sont vécues. Elles persistent. Sans le souvenir des sentiments, on ne serait plus rien. »

Femme 4 : « À nos âges, ce n'est plus possible de devenir une célébrité, d'avoir, comme qui dirait, une vie de rêve. Je crois qu'il faut réaliser au moins certains de ses rêves ; le mien est de vivre en Provence. Si avant de mourir je vis, ne serait-ce qu'un an, en Provence, qui est une région magnifique, je serai heureuse. J'aurai au moins fait ça. »

*

Ma grand-mère m'a demandé le titre du livre que j'écris. Je le lui ai communiqué. À présent elle est inquiète. Elle répète : « J'espère que le mot *roman* sera écrit en assez gros, en très gros caractères. » La voix se presse : « Ce titre est peut-être commercial, mais il annonce que tu vas parler de *ta* sexualité, ce qui n'est pas nécessaire. » Je rappelle à ma grand-mère qu'on n'écrit pas des livres pour faire plaisir à ses grands-parents. Je lui rappelle que je l'aime. Elle continue : « Inutile de te faire mettre à l'index en début de parcours. Rousseau a écrit ses *Confessions* à la fin de sa vie. » Il y a une trêve. Ma grand-mère dit : « Moi je ne serai plus là. C'est pour toi. »

*

**53.** Il faudra inventer un mot pour désigner l'*avant-déni*, qui n'est pas un refus de voir, mais la vision d'un refus. Malgré les satellites, les comètes et les éclipses, un trou noir engloutit la moindre tentative de recul. Je ne suis pas homosexuel.

Aussi, lorsqu'au dernier jour de classe verte, sous une tente en Lozère, vêtu de ma plus belle chemise à manches courtes, je me mets au défi de *sortir avec une fille*, je prends une décision sincère. Tous les garçons connaissent le tourbillon de la langue dans une autre langue. Le lendemain, j'en fais le serment, j'aurai aussi tourbillonné.

C'est la boum de fin. Je rejoins la salle des fêtes. Les couleurs s'effacent autour du crépuscule. Le bruit de la clairière se tamise à mesure que progresse l'écho des tubes de l'époque (Gala répète *Freed from Desire*.) On peut boire du Coca, de l'Oasis, du Fanta. J'observe, sans comprendre, les jeunes danser autour de moi ; ils dansent comme si tout allait de soi. La poitrine en feu, je me lève d'un bond pour aller poser à la plus jolie fille la question la plus difficile : *Est-ce que tu veux sortir avec moi?* Sa réponse curieusement me soulage : *Non.*

Fille après fille, par ordre décroissant de prestige, je n'essuie que des refus. J'ai posé la même question chaque fois, si bien que j'en arrive à douter de ma formulation. Ce n'est plus le moment : la soirée touche à sa conclusion et je n'ai pas avoisiné l'ombre d'un tourbillon. Une détermination supérieure me pousse à rejoindre Germaine (qui s'apprête à partir), et à lui taper sur l'épaule pour lui poser, à elle aussi, *la question.* À ma grande surprise, Germaine réfléchit quelques instants. Elle me toise de pied en cap, examine mes cheveux, et finit par répondre : *Oui, mais seulement si tu continues à mettre du gel.*

Germaine n'est pas laide (mais c'est la fille la plus démodée de la classe). Son prénom, son appareil dentaire, sa coupe au bol et ses jupes droites l'ont préservée de la frivolité. Je suis le premier, mais le seul vainqueur. Plus pétrifié qu'élu, je ne sais répliquer qu'un *Merci à demain,* avant de rejoindre ma tente en hâte. La course contre la montre commence : je n'ai qu'une nuit, plus une de plus, pour m'entraîner. À la lueur d'une bougie, je compose une lettre cryptée qui dit *Je t'aime* lorsqu'on met bout à bout la première lettre du premier mot, la deuxième lettre du deuxième mot, et ainsi de suite, jusqu'au bas de la page.

Dormeur : « L'homme est le seul animal complètement assisté pendant les dix premières années de sa vie. Tous ses problèmes de mégalomanie, et de paranoïa, viennent de là. »

★

Il avait une manière de surjouer les émotions miniatures, de s'émouvoir pour un moustique ou pour la vulgarité d'une chanson, avec une telle démesure que la vie quotidienne arborait cette teinte burlesque qui romance tout. Le moindre déplacement se transmuait en pas. On sautillait vers une cuiller. Il savait que je savais, que je l'observais, il m'observait l'observant ; le spectacle était complet — et, malgré sa carence en tendresse, avait l'avantage de distraire.

★

*Quand il fait beau, c'est encore plus beau.*

★

Bord Cadre me relate un nouveau souvenir sexuel de son enfance. Il a *six-sept ans*. Fouinant dans l'atelier de son père, il dégote deux magazines de charme. Il les feuillette ; avant de les livrer à sa mère qui, prise au dépourvu, donne le change : « Bien sûr que je savais. » Plus tard, le petit frère de Bord Cadre dénonce le délateur au père, qui fixe un point dans le vide, et n'ajoute rien. L'anecdote terminée, il y a un silence. Je fixe à mon tour le vide, et prends conscience, subitement, que la conclusion de ce livre est proche.

★

Bord Cadre : « Mon père est allé à des obsèques où a eu lieu le coming out du mort. Sa mère n'avait jamais voulu voir la réalité. Le défunt avait préparé une lettre, que son compagnon a lue. »

★

Fin de compte. Le rapport de mes parents à la sexualité (dans ma perception) est banal. Pas de râles perçus au travers des murs, pas de séances ambiguës de naturisme, pas d'échangisme suspecté. S'il me semble que j'ai de la chance, je suis incapable de dire pourquoi.

★

Les cinq premières idées venant à l'esprit du père lambda apprenant l'homosexualité de son fils :

- Mon fils se fait enculer.
- Mon fils suce des bites.
- Mon fils est-il celui qui se fait enculer ?
- Mon fils suce-t-il beaucoup de bites ?
- Qu'est-ce que j'ai fait ?

★

Matelot réagit à la liste des *cinq premières idées* : « C'est plutôt la mère qui se demande *Qu'est-ce que j'ai fait ?* Le père, il se dit : *J'aurais dû le mettre au sport.* »

★

Le livre qui prend du temps (parce qu'il doit vieillir avec son auteur).

★

*Chez nous, les premières idées sont des images.*

★

Il se branle en regardant la vidéo de deux garçons qui font l'amour en regardant la vidéo d'un garçon qui se branle, et il se demande, soudainement, si ce n'est pas lui que les deux garçons qui font l'amour dans la vidéo regardent en train de se branler.

★

**54.** Pendant une nuit entière, je suis un homme. J'ai une femme. Elle s'appelle Germaine. On ne me jalouse pas — mais on me respecte. Trop occupé à disserter sur mon futur matrimonial, j'omets de m'aguerrir aux techniques du baiser ; et la nuit passe en éclair. Lorsque j'ouvre les yeux, une chamade secoue ma poitrine : nous y sommes.

À la croisée du chemin de l'Église et de la route des Fleurs, Germaine se tient debout. Je suis en retard à cause du gel (ayant tenté de reproduire ma coiffure de la veille). Ma houppette est suffisamment rigide, je l'espère, pour continuer de convaincre. J'approche. Germaine me regarde ; il semble que ses paupières aient changé de couleur. Je lui tends ma lettre cryptée (à n'*ouvrir que demain*).

Est-ce le fait de mes timides caresses ? Germaine se confie. Ma déclaration *de la boum* l'a *beaucoup touchée*. Je ne me rappelle aucune déclaration. Cela fait *longtemps* qu'elle m'a *remarqué*. Je propose de marcher. Au bout du chemin se trouve un large rocher, dont la surface plane apostrophe les couples en mal d'assise. Il y a un silence. J'évoque les oiseaux, la variété de leurs chants, toute *cette musique qu'on n'entend pas si on ne l'écoute pas.* Le menton de Germaine ricoche légèrement de haut en bas ; puis vire de bord. Je place mon visage face au sien.

Le tourbillon a tourbillonné : je suis toujours le même. Ce ne fut ni agréable ni le contraire. Je m'interroge sur la différence entre la bouche et la main, ces deux parties du corps me semblant également intimes (et le contact des mains entre elles, plus agréable). Mission accomplie, je propose à Germaine — qui ne saisit pas mon emballement — de *rejoindre les autres.*

Dans **le** car du retour, je pétris les doigts de mon amoureuse devant la Lozère qui disparaît ; avec le sentiment flou de trahir quelqu'un. J'ignore que mon couple vit là ses dernières secondes : une bonne âme fait passer un mot à Germaine. Le mot révèle que j'ai demandé la main de *toutes les filles* avant elle. Germaine déchire ma lettre et me largue en pleurant. Elle change de siège pour rejoindre ma délatrice. Durant des années, je raconterai à qui veut l'entendre que mon premier baiser s'est soldé par l'encastrement accidentel de nos deux appareils dentaires (qu'il a fallu cheminer paralysés, le cou vrillé, appeler au secours, etc.), et l'on s'en amusera avec moi.

Souvenir d'une voix de femme résonnant chez Fou d'enfance : *La vérité est tellement plus intéressante que le mensonge!*

★

Les constructivistes radicaux disent : *L'astronome invente la galaxie, les mathématiciens les nombres premiers, les anthropologues le genre masculin et l'homosexualité.* Les objectivistes ontologiques répondent : *Les systèmes de représentations sont des créations humaines arbitraires. Le monde existe indépendamment des idées que nous échafaudons pour le décrire.* Pour ma part, j'ai envie de croire à ce que nous n'inventons pas, et qui n'existerait pas sans nous.

★

Lorsqu'il regagne la chambre après avoir passé un quart d'heure dans le jardin à observer le ciel, il dit : *Je reviens des étoiles.*

Au restaurant, ma grand-mère se lève et demande où sont les toilettes. Le serveur fait un signe vers le haut. Je la regarde s'éloigner de la table, tout à coup dos à moi, fragile, probablement inquiète des marches à gravir, ses cheveux si blancs pressés à l'arrière du crâne. Ma grand-mère quitte mon monde-fiction pour rejoindre le monde des chaises, des souffles courts, des clients sans visages et des morts. *Comment te retenir, ma chérie?*

*

Écrire dans la chambre d'un enfant qu'on ne connaît pas.

*

Maria Callas est au sommet. Elle répète *La Traviata* accompagnée d'un orchestre dirigé par Georges Prêtre. La toute dernière note de Violetta est fausse. Stupeur. Le chef, courtois, reprend les ultimes mesures de l'air pour entendre, à nouveau, la note fausse. Prêtre réitère l'essai une troisième fois : même résultat. Extrêmement embarrassé, il s'approche de *Madame Callas* et lui susurre qu'il y a sans doute *une erreur sur sa partition*. La Callas le coupe net : « Il n'y a pas d'erreur. Comment voulez-vous qu'une femme qui meurt chante juste? »

*

Mon grand-père me demande de le rejoindre dans son bureau. Il ouvre avec peine un document sur son ordinateur. Il ferme la porte. Il a quelque chose à me dire, il ne veut pas en parler devant ma grand-mère. Il ne sait pas si c'est une bonne idée : « J'aimerais écrire mes souvenirs d'enfance. »

*

**55.** Je produis à présent une substance blanche, visqueuse, qu'il faut essuyer, ainsi que Bastien l'avait prophétisé. Je pourrais m'en réjouir — mais avec le sperme est apparue l'acné. La concomitance ne saurait être anodine : chaque soir, je m'astreins à la jouissance pour étaler sur mon visage la semence recueillie. Au réveil, elle a séché en formant de petites croûtes qui ressemblent à de la squame. Ma mère s'inquiète de la sensibilité de ma peau. Elle m'achète un baume hydratant.

Face au peu d'efficacité de mon traitement, je réclame une consultation dermatologique. Mes parents s'y opposent : j'ai *quelques boutons,* comme *tous les ados,* dans la famille *on n'est pas obsédé par son apparence* — d'ailleurs je ferais mieux de me concentrer sur mes *exercices de mathématiques* et de *relire l'énoncé.* On me dédommage d'une crème acide qui sent le chou (et qui engendre une authentique desquamation).

Hormis les spermatozoïdes qu'il contient, comment expliquer la popularité du sperme ? Le 25 décembre, dès l'ouverture du carton de mon microscope, je m'enferme

319

dans ma chambre et dépose un échantillon de ma fécondité sur une plaquette optique. Je me penche sur l'oculaire. À mon dépit, malgré tous les réglages possibles, ne se dessine qu'une vague tache rétive à toute forme d'imagination. Suis-je stérile ? La question est trop délicate pour être partagée avec mon père, dont c'est pourtant la spécialité.

Ma mère a libéré les gerbilles du pédophile : je n'ai plus d'animal à surveiller. Je voudrais divaguer sur l'ordinateur du palier, qui est occupé. Pourtant je bande : comment obéir à cette injonction ? Je palpe mon sexe. Isolée entre deux espaces-temps, une idée surgit : cette chose au bas de moi, c'est l'animal des garçons. Les filles n'ont pas cette bête. Pas quelque chose qui a ses humeurs, qui change si prestement de taille, sans prévenir, en plein cours d'anglais, pendant le réveillon — quelque chose qui *se voit*.

On frappe à la porte de ma chambre. Instinctivement je réponds : « Je suis aux toilettes. » Perplexe, ma mère entre. Elle louche sur le microscope, puis sur mon visage. Une salve de chaleur m'inonde les entrailles. Son microscope a-t-il vu ce qu'il y a dans le mien ?

Matelot (que je filme) : « Tu ne fais *que* des rushes de moi parlant de cul ; on va croire que je ne parle que de ça alors que tout à l'heure… » — fin du plan.

★

Psyché : « Le principal effet secondaire du traitement chimique de la bipolarité est son *efficacité*. Le patient doit faire le deuil de ses accès maniaques. Pour expliquer aux proches, on dit souvent que le fait de tomber amoureux constitue plus ou moins un accès hypomaniaque. Le principe reste le même. On va dire à quelqu'un, en quelque sorte : je voudrais que vous ne tombiez plus jamais amoureux. »

★

Travesti, battu par son père, tapin professionnel depuis vingt ans, par choix et par plaisir, à l'opposé du modèle convenable de la vie, perché sur ses échasses de poésie et d'intelligence, riant à chaque instant, parfois trop fort, me demande en dernier lieu, comme s'il voulait véritablement obtenir une réponse, d'une voix plus sérieuse, après que je lui ai montré une photographie de mon petit ami : *Et comment rencontre-t-on quelqu'un comme Bord Cadre?*

★

Lignes dit : « Lorsque les derniers survivants disparaîtront, il n'y aura plus de mémoire. Ce sera nous, la mémoire de la mémoire. »

★

*Le phare tient debout sans l'une de ses moitiés (la moitié supérieure) — sans l'autre, il s'effondre dans la nuit.*

★

Glamour ne comprend pas pourquoi je photographie telle toile que je ne connaissais pas dans le musée que nous visitons ensemble. Il dit : « Tu ne peux pas fabriquer un souvenir avant de l'avoir vécu »; et sa phrase carillonne en moi toute la journée, toute la nuit.

★

Bord Cadre chante Schubert. Ils existent.

★

Recevoir une photographie de ses parents en Andalousie et se rappeler, bouleversé, qu'on aime ces deux

322

visages, qu'ils nous touchent plus que tout, immuables de notre paléographie, de leurs erreurs comme de leur évidence, cette mère et ce père qui demain ne seront plus que deux visages sur une photographie.

*

J'apprends que, relativement aux accidents de la route, les gendarmes doivent prendre en compte — même lorsque le choc a projeté les véhicules hors des voies de circulation — ce qu'on nomme un *ralentissement de curiosité*. Il s'avère difficile de concevoir une plus juste définition de ce qu'est l'écriture.

*

**56.** Je me trouve, par chance, dans la même famille d'accueil que Lambert lors du voyage scolaire de troisième, en Angleterre. Lambert m'impressionne par ses excellents mots, son sens de la repartie ; son humour que je cherche à décortiquer. Comme lui, je voudrais qu'on m'écoute.

Notre famille d'accueil a-t-elle lu les termes de la convention établie avec l'association d'échanges linguistiques ? On refuse de nous faire à manger sous prétexte que nous sommes français. Peureux, Lambert et moi montons dans notre chambre et partageons, accroupis sur le grand lit qui nous est attribué, la fonte d'un pot de glace charrié depuis Piccadilly Square. Alors que j'ai fait promettre à mon binôme qu'il voudrait bien qu'on *se branle en Angleterre*, le manque de nourriture comme la fatigue du voyage imposent leur somme. Nous éteignons la lumière.

Pour une fois, notre professeur d'anglais s'emporte à juste titre : elle ne voit pas pourquoi on refuserait de nourrir des enfants sous prétexte qu'ils sont français. Elle dit : « Je suis d'origine bolivienne, et alors ? » Nous ayant offert sur ses *deniers personnels* un *English breakfast* digne de ce nom (j'ignorais que le bacon croustillât), nous atterrissons dans une nouvelle famille d'accueil d'origine pakistanaise, qui *cuisine très épicé* (ainsi que je l'explique à ma mère au téléphone). Le moindre ragoût, la moindre sauce brûlent les yeux rien qu'à les regarder. Lambert et moi jeûnons un soir de plus, après avoir tenté d'avaler les sachets de poudre à *jelly* jusque-là préservés comme cadeaux-souvenirs. Pour achever le drame, cette famille-là nous fournit deux lits séparés. D'une voix anxieuse, je tente de rappeler Lambert à sa promesse. D'un ton définitif il condamne toutes les issues : « Je n'ai plus envie de faire ça avec des potes. Je préfère attendre que ce soit avec une fille. » Un blanc dans le noir. Puis alors : « En plus, je trouve que ça fait truc de gays. »

Le mot tombe. Je me sens anéanti. Comment l'ignorer ? Sous mes pieds, un continent dérive à l'opposé de celui de Lambert. Je ne suis pas encore gay — mais j'aime leurs *trucs*.

Mon calembour sur Big Ben ne fait pas mouche. Deux femmes s'embrassent sous un parapluie. J'achète une balle de Quidditch à mon petit frère, du thé en boîte d'or pour mes grands-parents. Je ne reviens pas les mains vides.

Il faudra inventer un mot (un autre) pour dire la *vengeance douce*. On peut avoir pardonné, avoir compris, avoir recommencé d'aimer, tout en restant prisonnier de telles énergies cinétiques. Je me protège avec la main. Le galet ricoche sur le plat de la main.

★

(*Bruit d'objet métallique qui tombe.*) Le père, sombre : « Laisse-le par terre, il ne tombera pas plus bas. (*Une pause.*) Tu ne peux pas discuter avec ton père sans avoir une pièce de monnaie dans la main, sans faire un tour de magie? Pour l'heure, il y a des choses plus importantes que la manipulation des objets. »

★

Sur le pas de la porte, Travesti parle bas : « En apprenant à parler aux bites, j'ai oublié comment on parle aux cœurs. »

*

En été : mon père freine, fait mine de chercher son chemin ; il scrute en fait un garçon androgyne, ses cheveux longs et ses jambes glabres. Par-devant, le garçon est grassouillet, vulgaire. Mon père redémarre en trombe.

*

Matelot : « Quand les hétéros regardent du porno, ils se branlent devant *des chattes et des bites*. C'est douteux : un *vrai pédé* n'arrive pas à bander s'il aperçoit un vagin. »

*

carpediam34 dit :

Vis pleinement chaque instant comme s'il devait être le dernier

*

**57.** En quelques mois, les trucs sont devenus des choses, et les choses des idées. Je rentre au lycée. Après le lycée, c'est la vie. J'observe les collégiens qui passent dans la rue : ils sont jeunes. Figurent maintenant au programme les *Sciences économiques et sociales*; où il est question du débat sur le *Pacte civil de solidarité*, de Pierre Bourdieu, d'*homophobie* et de *domination symbolique*. Je réalise que *Têtu* n'est pas seulement un catalogue de sous-vêtements. J'en achète un exemplaire (mais comme je ne sais ni où le lire ni où l'entreposer, je le jette). Je rencontre Bateau, qui est gothique et gay, qui affirme se masturber en buvant son propre sang, s'exprime comme les seigneurs raffinés dans les téléfilms historiques, lit *Ainsi parlait Zarathoustra*, et se maquille avec du khôl.

Le cours optionnel de musique est dispensé par un professeur veuf et débonnaire, toujours vêtu de carreaux ou de lignes, féru de Berlioz, intarissable sur le romantisme. *Ma belle amie est morte / Je pleurerai toujours / Dans sa tombe elle emporte / Mon âme et mes amours*. L'ode de Gautier fut imaginée pour un homme mais la partition de Berlioz se prête mieux au timbre féminin. Voici que des femmes chantent leur amour à d'autres femmes. La leçon sur les *Nuits d'été* passionne ma nouvelle amie Fanny : je sais précisément pourquoi — contrairement à Fanny elle-même, qui m'a fait sa déclaration la semaine passée, avant de se remettre à entonner *Mujer contra Mujer*.

À côté de moi, Bateau glisse dans des pochettes transparentes mille photocopies d'hommes nus, et peu pudiques. J'enfouis une mèche de cheveux dans chacune de mes oreilles pour ressembler au professeur. Fanny a un fou rire. Bateau fait exprès de laisser choir les photocopies d'hommes nus. Notre gentil professeur se baisse pour les ramasser. Les lui tendant innocemment, il découvre le pot aux roses : ses oreilles poilues rougissent de haut en bas. Bateau rassemble dans un carnet des phrases de Bataille, Wilde et Cocteau. Tout cela me semble très élégant.

En fin de journée, le cours de biologie est annulé : notre enseignante a retiré de son casier un crucifix enveloppé dans des *dépliants pornographiques*. « Un enfant, quoi qu'en disent les lobbies homosexuels, c'est un homme plus une femme. » Bateau avait été persuasif : une phrase *aussi écœurante* ne pouvait rester impunie. Nous baissons de concert les yeux vers nos copies. Je toise mes camarades de classe. Appréhendent-ils, eux aussi, leur *condition* ?

**58.** Le discours se désagrège. Plus d'autre mesure que les fragments.

**59.** Comme il est dit, les cubes s'encastrent. À ce stade, l'honnêteté me contraint à recenser un épisode ancien ; qui ne sourd qu'en fin d'écriture, comme si l'évidence réservait ses meilleurs effets pour le terminus (comme si certains souvenirs manquaient de ponctualité).

Lors d'un voyage parental, je suis hébergé un week-end chez les Caprico, amis proches de la famille. Je connais leurs enfants, sans éprouver d'affinité supérieure à leur égard. Je suis logé dans la chambre de Laura. J'ai douze ans, elle neuf. Durant les minutes qui précèdent l'assoupissement, étendu sur le matelas d'appoint qui jouxte le sommier de Laura, je repense avec dépit à ce sexe graisseux de garçon, cloîtré dans son phimosis sur mesure, offert à mes yeux et sans doute pas seulement, caché derrière un paravent du grenier de la même maison, un étage plus haut, l'année précédente, lors de tel goûter d'anniversaire — je revois ma bouche qui n'ose se pencher.

Ma repentance est interrompue par la voix de Laura, qui me demande tout bas si on ne peut pas essayer de *faire comme les adultes*. Sa proposition ne m'étonne pas :

Laura se maquille en cachette, elle fume, porte des chaussures à talons et me colle aux basques depuis des années. Moitié par devoir, moitié par curiosité, je la rejoins sous sa couette et la prie de m'indiquer le *modus operandi*. Laura m'enjoint de m'allonger sur elle. Le reste suit son cours : malgré les pyjamas intercalés, le plaisir s'installe. Laura, elle, n'éprouve pas la même satisfaction : elle me prie d'*arrêter* parce que je l'*écrase*. C'est elle qui l'a voulu : je fais le ressort jusqu'aux gouttes.

Silence. Je regagne ma couche avec la saveur d'une déception : n'est-ce donc que cela ? Il faut ainsi se forcer pour faire un peu plaisir aux femmes, qui ne nous en savent même pas gré. La vérité est que je méprise Laura : n'étaient ses airs frivoles, je ne me serais jamais risqué à une telle expérience. Jamais Juliette, si belle, si émouvante, n'aurait requis de moi la même astuce — jamais je ne me serais autorisé à lui obéir. Mais Juliette s'est éclipsée en Sologne lorsque son père est mort. Il a souffert longtemps, il avait un cancer, elle m'a quitté en pleurant. Je me suis juré de l'épouser adulte. Il faudra que je l'en informe, me dis-je (et ce jour-là, malgré tout le respect que je lui devrai, j'omettrai pour la forme de mentionner l'épisode *Laura Caprico* — à qui je murmure, par galanterie, « Bonne nuit »).

*La vie ressemble aux vacances en général. Mais les vacances à Castegnac, c'est autre chose. C'est la liberté. Il y a les arbres, d'abord, emmêlés dans leurs propres branches, chargés de paliers, comme des escaliers vers un ciel plus petit.*

*Autour des arbres, il y a Lucas. C'est un nom de prince, qui rassure et fascine. La beauté a besogné dans ce garçon. On n'a jamais vu pareille rousseur. Moi c'est Lucas, dit Lucas à Simon, lui tendant la main, au deuxième jour des classes.*

*L'année passe en flèche et en juillet, c'est Castegnac. La confiture mêlée de fraises entières, la chambre au parquet qui grince; les deux lits suffisamment proches pour se souhaiter bonne nuit du bout des lèvres — quand on s'appelle Simon — qu'autrui s'appelle Lucas.*

*Lucas sort de la salle de bains. L'eau sur son ventre a perlé. Le coton du slip est devenu transparent. La mère appelle à table. Simon voit un bourgeon, et le cueille.*

*L'enfant est transpercé de part en part. Il entame l'intouchable — et Lucas se laisse faire. Mieux : il regarde en spectateur; comme si cela se produisait hors de son corps. Au rez-de-chaussée, la mère appelle plus fort. Deux sexes cuisent dans le même sucre.*

*Pause. Le visage de Simon a chu. Il est le visage de tous les visages, quand le désir se porte en masque. On n'a pas tout à fait douze ans. Il pourrait bien décoller quelque part un hydravion en allumettes, ou surgir un lion bleu.*

60. Lassé des piteux gardons pendus à mes lignes, j'insiste pour apprendre la pêche professionnelle. Mon père ne pêche pas, mes grands-pères non plus. Ma mère m'inscrit, au début des vacances d'été, à un stage de pêche à la mouche. Le nom de la discipline me plaît. Nanti d'un premier manuel, je passe mes nuits à enrouler fils et plumes autour d'hameçons antiretour. Il y a autant de *mouches* que de temps qu'il fait, celles pour les jours gris, celles pour le crépuscule, tantôt larves de libellules en laine blanche, tantôt éphémères nacrés.

Thierry est bon pédagogue. C'est la première fois qu'il a un élève de quinze ans. Il dit : « D'habitude, les jeunes apprennent la pêche en famille, j'accompagne plutôt des retraités qui veulent se perfectionner, ou des gens que la technicité intéresse. » Nous nous apprêtons à passer trois jours ensemble dans un canot sur le Rhône, à l'affût des sandres, brochets, perches — et, pourquoi pas, des silures. Cette famille de poissons-chats géants me fascine. J'imagine ma canne aspirée dans l'eau par une force immense, Thierry s'interposant pour me retenir (mais chutant dans le fleuve, dévoré sous mes yeux par trois de ces requins d'eau douce).

On me dessille vite : les silures ne mangent pas d'hommes. Tout au plus, des oiseaux et des bébés chiens. Quant à mes mouches, elles ne quitteront pas leur coffret molletonné. Le fleuve est trop nerveux pour pêcher en surface. Thierry préconise des *appâts de fond*. Je fixe l'eau terne avalant nos èches blanches. Un bouchon fluo tient lieu de contact entre l'invisible et la surface. Lorsqu'une lèvre sous-jacente tâte l'appât, le bouchon frétille : tantôt se figeant de nouveau — tantôt s'affolant pour de bon. Je comprends mieux les obsédés du jeu : pourquoi tel brochet, telle quinte royale, telle algue, tel climat; pourquoi bredouille? Le poisson n'a aucune importance : c'est le destin qu'on harponne.

Lorsqu'au dernier jour du stage Thierry me raccompagne à la maison, le visage de ma mère semble s'être enduit de granit. Mes mains puent les écailles. La conversation d'usage entre les deux adultes me semble interminable. Dès que Thierry a passé la porte du jardin, ma mère m'ordonne de monter dans sa chambre. Du tiroir de sa table de chevet, elle extrait une pile monumentale de feuilles A4, toutes imprimées par ses soins : *C'est quoi*, ça ?

## LE DRAGON APPRENANT QUE SON FILS NE VEUT PAS CRACHER DE FEU

Pièce allemande en un acte
de Jeremias Pankratius (non achevée)

*Memmingen, 1457*

> *Une grotte en Bavière, la nuit.*
> *Le père : grave et fragile.*
> *Le fils : fragile et sûr.*

LE FILS : Pourquoi serait-ce un choix? Vous n'avez pas choisi, Père, de souffler le feu.

LE PÈRE : Bien sûr que si.

LE FILS : Je veux dire : vous n'avez jamais pensé à autre chose.

LE PÈRE : Comme tout dragon, j'ai une composante de terre et une composante de feu. À l'origine le feu ne me fut guère plus naturel que vous; mes bronches ont souffert, j'ai craché du charbon — mais j'ai tenu bon.

LE FILS : Pourquoi s'imposer une douleur?

LE PÈRE : Impertinent! Je renaquis quatre fois de mes cendres : je sais de quoi je pense. Lorsque vous contemplez une dragonne aux écailles luisantes, vous ne la souillez point de force, que je sache? Nous ne sommes point des hommes : nous n'accomplissons pas sur-le-champ nos désirs. Soit; vous n'avez pas *envie* de souffler le feu. Mais depuis quand agit-on au gré de ses *envies*?

337

LE FILS : C'est que...

LE PÈRE : J'en connais qui ont envie d'être sirènes, ou bien licornes. Eh quoi! Sont-ils licornes ou bien sirènes le lendemain? Notre lignage s'est distingué entre les millénaires par sa *détermination* à lutter contre les bas instincts. De tels instincts existent, c'est un fait : notre devoir est d'être *déterminés* à les anéantir.

LE FILS : Je...

LE PÈRE : Laissez-moi parler. Votre professeur de vol vous ficherait une mauvaise note, quand même s'agirait-il d'une injustice, céderiez-vous à la voix qui vous donne *envie* de l'occire?

LE FILS : Je n'ai aucune envie de tuer mon...

LE PÈRE : Il suffit. Renâcle-t-on à *tout* au motif qu'un beau matin, un jeune ou un moins jeune dragon vous annonce : «Vous êtes ainsi constitué, ce n'est point votre faute, je suis passé par là également; dans le parcours de ses vies, qu'il s'agisse de la première ou de la cinquième, il faut faire ce qu'on a envie de faire»? Pour ce miel-là, vous niez votre race?

LE FILS : ...

LE PÈRE : Voici votre réponse : le silence.

LE FILS : Vous avez raison, Père : je suis sans réponse.

LE PÈRE : C'est trop commode! Puisque vous êtes si résolu, j'attends de vous une argumentation solide. Cessez d'être pleutre! Vous rendez-vous compte qu'à soixante-douze ans seulement — c'est-à-dire à l'orée de votre première adolescence — on vous a inoculé des pulsions que vous n'avez pas eu le courage *critique* de combattre — et qu'à présent vous vous trouvez dans une situation entièrement acquise, qui n'est pas la réalité?

LE FILS : Je crois savoir mieux que personne, Père, ce qu'est ma réalité.

LE PÈRE : Ne répondez pas. Au nom de la tolérance, vous m'expliquez qu'il faut tout accepter. Très bien : ne mangeons plus de bêtes! Ne nous nourrissons que de racines, encourageons le commerce de guivres, cessons d'effaroucher les hommes, de veiller à nos mythologies, renonçons aux cultes qu'ils nous vouent! Savez-vous seulement de qui, de quoi vous résultez?

LE FILS : Je le sais, Père.

LE PÈRE : Mettons qu'un dragon bleu propose de la glace à l'un de vos camarades de classe. Approuvez-vous le camarade qui en consommera?

LE FILS : Nullement.

LE PÈRE : Mais le camarade vous dira : « Je suis attiré par les glaciers, il m'a semblé que c'était agréable, alors j'ai essayé et cela m'a changé du feu, ce fut une sensation unique, alors... pourquoi pas toi? »

LE FILS : Cet exemple n'a rien à voir avec...

LE PÈRE : Je suis navré de vous apprendre que vous êtes en train de renoncer aux neuf dixièmes d'une vie de dragon réussie. Vous me direz : une vie réussie c'est avoir une vaste grotte, un carrosse de tant de vouivres, cent guivres de service, tel prestigieux parcours migrateur? C'est entendu — mais, lors de votre ultime vie, en fin de palingénésie, quand de vos cendres il ne naîtra nul autre, que vos biens vous seront retirés, puis régis par la communauté, vous vous suiciderez?

LE FILS : Il y a les amis.

LE PÈRE : Quels amis? Vous n'aurez que des trahisons. Nos amis n'ont jamais été que des trahisons. Comme amis, vous rencontrerez des chimères intéressées, vénales, qui jalouseront votre réussite, si vous en avez une, qui entretiendront à votre égard des arrière-pensées humaines.

LE FILS : Vous ne dites pas la vérité.

LE PÈRE : Prenez le vieux Glaurung. Il vit ainsi, avec sa femelle sans-feu et son carrosse à six vouivres, dans une vraie *Cage aux souffles*, entouré d'une communauté de sans-feu grotesques. Je l'ai eu longuement à l'écho la semaine dernière : c'est le malheur. Il n'a personne. Au moindre problème d'écaille, ou de fourche, à quel griffon s'adresser ? Puisque sa femelle et lui n'ont daigné dégeler aucun œuf sacré, les voilà dépourvus de descendance : ils n'ont rien. Quelle est la conclusion de leur vie à sept cents ans et des poussières ? Le néant.

LE FILS : Vous...

LE PÈRE (*il rugit en expectorant une flammèche; le fils recule d'un bond*) : Écoutez-moi ! À soixante-douze ans, on a la vie devant soi. La Bavière s'offre à vous. Ce n'est sans doute pas suffisamment bien pour...

LE FILS : Je n'ai pas dit que...

LE PÈRE : Mieux vaut sans doute choisir l'exclusion, le rejet, la maladie. Tenez : comment vous repérerez-vous en phase de nouvelle lune ? Comment vous défendrez-vous ? À quelle saison verduniserez-vous votre puits ? Qui dépigeonnera votre grotte ? Parce qu'il ne faut point vous imaginer que... (*Une pause.*) Évidemment, les dragons ne sont pas racistes ; je n'ai jamais entendu de créature croiser une licorne et dire : « Je hais les licornes, ce sont toutes des charognes. » Mais faites un sondage en Forêt-Noire : qui souhaiterait que son dragonneau grottisse avec une licorne ? Ou bien attrape le gel bronchial ?

340

LE FILS : Merci, j'ai mieux à faire.

LE PÈRE : Vous n'étiez point, vous, en Écosse au congrès international d'invisibilité, il y a treize lunes.

LE FILS : C'est vrai.

LE PÈRE : L'aide à la défense pour les couples de dragons sans-feu a été évoquée. Il n'y avait que des dragons très tolérants, reconnus par leurs pairs : ce fut un consensus. Tout le monde a télépathé : « Nous ne sommes pas là pour *ça*. » Si l'on vous assure que c'est formidable, le sans-flammisme, que la chose est acceptée de tous, qu'il y eut tant de célèbres dragons sans-feu, du Léviathan à la Tarasque, sans compter les kappas ; ou ce marginal du lac Ness... Eh quoi ? Ils furent éternellement chassés, et rejetés.

LE FILS : Je ne suis rejeté par personne, excepté par vous.

LE PÈRE (*un temps. Il cherche ses pensées*) : À votre âge, on ne choisit pas d'échapper à son rang. Comment poursuivrez-vous la lignée ? Quelle dragonne voudra de vous ?

LE FILS : Plusieurs dragonnes ont bien voulu de moi.

LE PÈRE : D'un sans-feu ? Vous voulez rire.

LE FILS : J'ai d'autres façons de me faire valoir.

LE PÈRE : La perfidie ? Courageuse préférence.

LE FILS : Je le répète, Père, je n'ai rien choisi.

LE PÈRE : Vous avez *choisi*, à partir du moment où vous prenez position. Vous croyez-vous suffisamment écaillé pour échouer dans vos études parce que les flammes vous déplaisent ?

LE FILS : Je n'ai nullement le dessein d'échouer dans mes études.

LE PÈRE : Pardon mais vos résultats en voltige médiévale n'ont guère été probants depuis votre nouvelle... lubie.

LE FILS : Je n'ai rapporté aucun résultat en voltige médiévale.

LE PÈRE : Cela viendra. Comme afflueront les effets des trahisons, des mensonges, des dissimulations que vous tissez. On ne tourne pas sa carapace aux seuls dragons qui vous accordent leur confiance. Quel fut votre quotidien depuis deux ans ? Attendre que la grotte soit vacante pour fuir vers d'immondes peintures rupestres. Qui vous a forcé à mentir, à trahir ? Qui ! ?

LE FILS : ...

LE PÈRE : Aucune réponse ?

LE FILS : Aucune.

LE PÈRE : Parce que le bât blesse ?

LE FILS : ...

LE PÈRE : Allons, quoi ! Je vous donne des faits, nous pensons la même télépathie, je suis votre père, vous êtes mon fils, je vous pose des questions, elles exigent une réponse.

LE FILS : J'ai dissimulé parce que je n'ai pas su parler. Le dialogue est si difficile entre vous et moi que je n'ai guère eu l'occasion d'évoquer ma phobie du feu, lorsqu'elle est apparue au cours d'une leçon d'incendie. Les non-pensés se sont accumulés.

LE PÈRE : N'inversez pas les rôles. Ce dialogue, l'avez-vous sollicité ?

LE FILS : Un dialogue ne se sollicite pas, il s'impose.

LE PÈRE : Comment aurais-je pu imaginer une seconde que vous vous dirigiez vers cette vie de honte ? Votre petite sœur avait quarante-deux ans de moins que vous à l'époque, votre frère vingt-huit : on ne discute

342

pas de ces choses en famille autour d'une charogne... Vous êtes seul responsable de vos mensonges. (*Il regarde le sol noir.*) Et ce soir, la seule idée qui m'apaise est que feu mon père se fit cendres avant d'avoir pu les ouïr.

LE FILS : Personne n'est responsable de quoi que ce soit.

LE PÈRE : Si la chose est *normale*, naturelle, pourquoi n'en parlez-vous point à votre professeur de cri nocturne? Et à vos grands-dragons?

LE FILS : Bien, Père : j'en parlerai à mes grands-dragons, et à mon professeur de cri nocturne.

LE PÈRE : Vous fonctionnez sur un registre de provocation.

LE FILS : Pas du tout.

LE PÈRE : Que venez-vous de faire?

LE FILS : D'obéir à vos ordres.

LE PÈRE (*après une pause*) : Je vous repose la question : pourquoi ne faites-vous pas état, en toutes montagnes, de votre prétendu sans-flammisme?

LE FILS : Faites-vous, Père, état de tout ce qui vous habite?

LE PÈRE : J'en pense à votre mère.

LE FILS : Mais à vos amis? À vos démons sylvicoles?

LE PÈRE : J'en pense à qui j'ai besoin d'en penser. Dans les relations dragonnelles, on attend de l'autre une certaine *valorisation*. Je le répète : vous construisez votre vie sur l'échec, et la *dévalorisation*. En dehors des sans-feu, quel squamate vous trouvera des qualités? Vous aurez la pitié.

LE FILS : La pitié est un beau sentiment.

LE PÈRE : Cessez! Et répensez-moi : qui, à l'académie dragonnière, est présentement au courant?

LE FILS : Personne.

LE PÈRE (*son regard s'obscurcit. Ses narines dégagent quelques braises qui crépitent en percutant le sol embué de la grotte*) : Lurigald, je vous regarde dans le fond des quinquets : *je sais* que vous mentez.

[*Le manuscrit, interrompu à cet endroit, peut être consulté à la bibliothèque nationale de Munich, au rayon des conservations médiévales — Die Bayerische Staatsbibliothek Ludwigstraße 16 80539 München.*]

61. *Ça*, ce sont les milliers de photographies de garçons nus que j'ai compulsées, sans penser à effacer mes traces (ou volontairement en n'y pensant pas). En bonne huissière, ma mère a fabriqué autant de scellés vissant sur papier les preuves de ma dépravation.

Je suis acculé. Je fuis la maison, erre dans Lyon toute la nuit, les yeux pleins de larmes. Je rentre. Je nie. Je dis : « J'ai des boutons sur le zizi, je voulais savoir si les autres garçons aussi, j'ai consulté des sites homosexuels pour trouver deux fois plus de garçons, et donc deux fois plus de zizis. » Ma mère me croit. Mon père examine mon sexe, qui comporte effectivement quelques boutons.

Deux mois plus tard, ma mère intercepte de nouvelles images sur l'ordinateur. Elle me demande comment je peux aimer cette *immonde pornographie*, si ces *images dégoûtantes* me plaisent. Je récidive : « Elles me dégoûtent. Je n'y suis pas retourné. Ce sont des images de la première fois que tu n'avais pas trouvées. »

Trois mois plus tard, de retour du collège, ma mère m'attend dans la cuisine, une lettre entre les mains. L'enveloppe est peinte en rouge, et mon nom calligraphié. L'enveloppe est ouverte. Son contenu se termine par un *Je t'aime*, signé Simon. J'ai un zoo dans le ventre. Pour compléter le tableau, ma mère a saisi de nouvelles images, elle les a imprimées et les pose sur la table (des images de garçons plus âgés, ils ont au moins dix-huit ans, des sexes bientôt amples). Je ne peux restreindre un début d'érection. Cette manifestation du corps agit comme un révélateur : si je le pouvais, en toute logique je ne banderais pas *maintenant*. Je n'ai pas choisi de bander. Je peux nier encore, mais pour aller où ? Je dis : « Je crois que je suis un peu attiré par les garçons. »

Plus tard, je comprendrai les données que doit intégrer en priorité le parent démuni par la sexualité de son enfant : 1. *Il n'a pas choisi.* 2. *Cela ne changera jamais.*

Passé le choc de la chair, ma mère s'apaise au ralenti, mois après mois. Mon père ne veut rien entendre (elle plaide quand même ma frêle cause). Il faudra que je publie un roman sur fond crème, dans la collection au liseré rouge, des années plus tard, pour qu'enfin se profile chez lui l'ombre d'un acquittement : *Vous connaissez mon fils ? Il est auteur. Chez Gallimard.*

62. J'ai seize ans. Au pied du mur, face à l'impossibilité de communiquer, sans dire ni oui ni non, j'écris une lettre dramatisante à mon père. Le choc sismique remonte à plusieurs mois. Ma mère, qui rejoint mon équipe, accepte d'en relire le brouillon. Elle suggère, tout en respectant le style initial, plusieurs corrections (notamment sur le plan de la sobriété), inscrites au feutre noir :

*Ce qui me pousse à composer les mots que tu vas lire, c'est un ~~petit~~ désespoir, une ~~grande~~ immense solitude.*

*Si j'avais eu la possibilité, même infime de ne pas être ~~ce que~~ comme je suis, ~~homo,~~ je me serais jeté dedans.*

*En primaire, j'invitais des tas de copains à mes fêtes d'anniversaire et ne me faisais jamais inviter ne serait-ce qu'une fois en retour. Et puis j'ai grandi, et les choses sont restées les mêmes. J'ai commencé à me poser ~~de sérieuses~~ des questions.*

*Ce que je cherchais, c'était un super-ami, un jumeau, avec qui il me serait possible de tout partager, possible de parler de tout, possible de n'avoir honte de rien. ~~Je l'ai trouvé un~~*

~~jour, mais là n'est pas le problème, ni l'objet de cette lettre.~~

L'esprit qui choisirait les problèmes, les malheurs, les conflits, les insultes des imbéciles, qui sont toujours des insultes, les déchirements familiaux, alors qu'il dispose s'il le veut du calme, de la sérénité, d'une vie paisible et « normale » serait ma foi bien désaxé. ~~Un tel esprit ferait d'Apollon un bossu, de Voltaire un crétin.~~

Je ne t'oblige pas à accepter, ni à accepter les choses dans leur intégralité, **et je sais que tu ne cautionneras jamais,** mais je voudrais **simplement** que tu comprennes.

Comme je l'ai dit, je ne savais pas. **Je ne comprenais pas, moi non plus.**

Je l'étais, je le pressentais. **Je refusais de voir cette terrible réalité qui se dessinait.**

Je me mentais à moi-même. ~~Je tournais la tête pour observer un Adam qui passait, alors que ma bouche, mes mots et moi avouaient faussement pour mieux être considéré de ces mêmes camarades que je voulais sortir avec cette Ève-là.~~

Je suis même sorti avec une fille en classe verte, **mais ça ne m'a pas plu. Je n'étais pas « à ma place ».**

Tout à coup dans ma tête résonnèrent des choses bizarres, étranges, pas « normales » ~~, des choses comme : « Mais il est beau ! ».~~

Chaque jour, les interrogations tuaient mes nuits. **Me torturaient.**

Alors tout a cheminé jusqu'au clash des parents. Les parents devant la réalité ~~étrange~~ inattendue. Les parents sans compréhension. Les parents désemparés, **et blessés.**

Moi qui vivais dans une société où j'entendais parler de bien des choses, il a fallu que cette bizarrerie tombe sur moi.

*Et c'est plus qu'une bizarrerie : un casse-tête. Qui fait très mal.* **Horriblement mal.**

*C'est coupable que je me suis senti. Coupable de vivre, de respirer en causant tant de troubles, de désaccords. C'est de mourir dont j'ai eu envie, moi l'erreur, le défaut de programme qui assombrissait tant les cœurs et les vies de ma famille.* **J'ai tant pleuré que mes larmes ne coulent plus aujourd'hui.**

*Et puis j'ai découvert d'autres avis que ceux de mes parents. Des gens qui n'étaient pas* ~~forcément « de ce monde » et~~ *comme moi,* **mais** *qui ne voyaient pas ma différence comme une tare, une maladie, une honte, mais seulement un trait de caractère à prendre tel qu'il est.*

*Je me dis que si un jour j'ai des enfants, je les accepterai comme ils sont, car l'amour d'un parent est à nul autre pareil, aveugle.* **Mais je n'ai pas encore d'enfants.**

*À partir du moment où les choses sont ce qu'elles sont,* **et que je n'ai pas le choix puisque je les subis,** *j'assume ma vie et ses conséquences.*

~~*Voltaire implorait avec sincérité dans sa* **Prière à Dieu** *: « Fais que les petites différences qui régissent nos débiles corps ne soient pas signaux de haines et de persécutions à tes yeux éternels, fais que les hommes, agenouillés devant ta splendeur immuable, au devant de leur court passage sur Terre vivent en paix, et qu'ils soient tous frères devant leurs malheurs, et non stupides ennemis. »~~

*Je voudrais dire à un papa qui n'a pas souvent, même plutôt très rarement été là, qu'il n'est pas trop tard pour rattraper le temps perdu, et qu'avant que je parte de la maison, j'aie le temps de conserver une image positive de lui, et non celle d'un odieux personnage qui ne comprend rien, ne cherche* *pas à comprendre et s'énerve, se fâche, et méprise ce qu'il ne connaît pas, ce que **moi-même** je ne connaissais pas il y a encore peu. Je n'ai que 16 ans.*

*La vie est bien assez éprouvante par elle-même. **J'ai besoin de ton aide, encore plus que n'importe quel fils.***

*Merci pour les magnifiques vacances que tu prépares, puissent-elles être différentes par leur atmosphère que les ~~glauques~~ minutes de notre vie lyonnaise.*

Effaré à la relecture de cette lettre d'excuse d'homosexualité, la seule chose qui me rassure est d'avoir écrit, à deux reprises, l'adjectif *normal* entre guillemets.

[...] Chaque objet touché par Menteur devient un ex-voto de nos étreintes (existant seul, détaché de la peau qui l'a touché, comme un petit drame vrai). Le paquet de céréales. Une serviette de bain, dont je gratte les croûtes de laitance avec mélancolie.

Nous regardons des débuts de films (*Deux jours à tuer*, *Le Roman d'un tricheur*), il aime moins, il aime bien, nous sortons, nous faisons une promenade dans ma rue mais il pleut, nous rentrons après quelques minutes, nous allons au cinéma, nous partons avant la fin. Nous commandons deux tartares, une grenadine. Je ne sais rien dire. Je ne me sens pas beau. À côté, une femme s'assied en face de son ami aveugle — plus loin, une grand-mère sirote une bière, et nous sourit de temps à autre.

Place Bellecour, je l'embrasse dans le cou, il est gêné, il dit : « Tu pourrais éviter de » ou bien : « Je n'assume pas ma bisexualité. » Au cinéma je prends sa main, il a peur parce qu'il connaît *du monde dans la salle*.

Je vois son corps de dos, ses fesses vraiment petites et rondes, cuivrées, recouvertes d'un fin duvet noir (le noir iranien?). Il est allongé sur moi, j'enfonce mon visage dans son épaule, j'aperçois à nouveau la perspective de ses fesses. Il reprend à tue-tête une chanson d'Indochine : « *Et tu mets tes vêtements!* »

Je lui dis que le moment que je préfère, c'est quand on se retrouve. J'aime le quitter pour le retrouver.

Menteur se lave les cheveux dans le bain, je le photographie. Massant lentement son crâne noir, il sourit avec malice quand j'observe son sexe lourd, perdu au fond des eaux, où flottent mes jouets d'enfance.

Il me dit à plusieurs reprises que je suis beau, c'est le compliment idéal. Il aime quand je lui lis de la poésie. Ça me flatte (il lit comme un élève qui récite; moi je mets le ton, je fais l'écrivain).

D'autres images se bousculent : le bain pris avec Menteur, moi dessous lui dessus, allégé par l'eau brûlante dans l'obscurité — douceur totale de ce moment, de nos caresses réciproques; instants en dehors du vide, parmi les plus agréables de mon existence. Les cigarillos de mon père qu'il fume avec dégoût en caleçon dans le jardin, ayant oublié ses propres cigarettes. Son angine qu'il semble absolument vouloir *blanche* : Menteur reste plus de vingt-quatre heures allongé dans le lit de mes parents, où nous somnolons. Entre éveil et fatigue, je me lève souvent pour préparer du riz pilaf qu'il n'aime pas, lui servir un verre de jus de poire qu'il sirote avec plaisir, lui apporter un petit pot de crème au chocolat, l'inciter à boire plus d'eau. Il est brûlant. Je passe mon bras sous sa nuque, il tète comme un enfant très jeune et très malade, il renifle mon bras, il l'embrasse et le compresse avec les forces qui lui restent.

Son haleine n'est pas neutre. Elle sent ma mère. Je m'approche pour l'embrasser sur la bouche et ça sent ma mère ; la même chaleur, la même odeur. J'ai envie de pleurer.

Il n'est pas idiot mais il n'a jamais entendu parler de Godard, de Sade ou de Verlaine, il fait toutes les bêtises qu'un insupportable gosse de riche peut faire, il n'a aucun projet, il part *à New York dans six mois* — j'ai envie de tout quitter pour lui.

Quelques semaines ont passé : Menteur m'a dépouillé. Il n'est pas allé *prendre un verre avec une amie*, il a *emprunté* ma carte de crédit pour retirer le plus d'argent possible. Incrédule, je porte plainte contre X. Matelot dit : « De toute manière votre relation n'était que *X.* » Menteur a menti sur tout : il n'est même pas riche — il n'est même pas iranien.

**1986**   Ma mère, qui répète que les religions (et les hommes) ont coûté plus de vies que toutes les catastrophes naturelles réunies, refuse qu'on me circoncise (par la suite, mes parents se querelleront à chaque nouvel an juif parce que mon père veut nous emmener à la synagogue, qui lui remémore ses parents, pour écouter *la prière des morts*). Ma mère s'indigne : « Nous vous avons éduqués en dehors de tout culte. »

**1990**   Ma grand-mère, qui me savonne, dit : « Heureusement que tu n'es pas circoncis, ça peut recommencer n'importe quand. » Je ne comprends pas de quoi elle parle.

**1993**   Malgré l'interdiction qui m'est faite de jouer avec le feu, j'invite un ami de vacances dans notre chambre d'hôtel, et fait fondre au briquet un tamis de plage. Le soir venu, ma mère me confronte au jouet noirci : elle révèle qu'elle était *dans le placard*, qu'elle a tout vu. Je pleure. Je demande : « Est-ce que tu m'aimes encore? »

*1994* Quand Hector est petit, j'enfonce à plusieurs reprises sa tête sous l'eau, non pas pour jouer; mais pour frôler la mort. Il est haletant lorsque je relâche enfin la pression, j'observe mes paumes avec fascination (puis mon petit frère, qui semble curieusement apprécier une partie du jeu).

*1995* En classe d'arts plastiques, Solène coupe au cutter un morceau de mon nouveau pull. Je suis fâché, mais elle accepte que j'extirpe en compensation un morceau du sien. De retour à la maison, montrant mon vêtement endommagé, j'explique à ma mère que nous sommes quittes avec Solène. Elle me traite d'idiot, s'emporte : *Maintenant, on ne peut plus rien dire aux parents.*

*1995* Ma mère dit à quelqu'un au téléphone : « Vous pouvez le faire, si vous mettez un préservatif. »

*1996* Mes parents nous informent qu'ils viennent d'acheter un appartement à côté de Marseille, que nous irons souvent dans le Sud à compter des prochaines vacances. Leur annonce me bouleverse : s'ils ont pu nous cacher une chose aussi importante que l'achat d'un lieu à soi, que nous ont-ils caché d'autre?

*1996* Je prends conscience, des années plus tard, que ma mère bluffait. Elle ne se trouvait pas *dans le placard*. Elle avait simplement déduit ma bêtise en voyant le tamis.

*1997* En bas de la piste, je lève le bras trop tôt. Ma mère, qui attendait le signal, la dévale d'une élégante glisse — mais mon père n'a pas eu le temps d'enclencher le caméscope. C'était la dernière remontée mécanique des vacances. On m'en veut. Je réponds avec impertinence ; mon père me fiche une claque. En arrivant à l'appartement, je me gratte le nez dans les toilettes jusqu'à me faire saigner. Ma mère a saisi mon *petit jeu*, qu'elle qualifie de *minable*.

*1998*    Sous l'influence de Bastien, je tague la façade de mon nouveau collège (et signe le délit de mes nom et prénom). Le lendemain, je suis convoqué par le Conseiller principal d'éducation. Quand j'apprends que j'écope d'une heure de colle, j'éprouve la sensation d'avoir raté ma vie.

*1999*    Dans un vaste appartement, un adulte demande à un autre adulte s'il est *pédé ou quoi*, saisissant dans une bibliothèque un livre de Marcel Proust. Mon père dit : « Proust est un *grand grand* écrivain. » On ne m'avait jamais parlé de Proust.

*2000*    Ma mère intercepte une conversation téléphonique. J'explique que Simon est un garçon du club de magie. Elle me demande si tout le monde se dit *Je t'aime* au club de magie. Je baisse les yeux — mais au fond, depuis le départ (c'est pourquoi je me prépare moins à une pénitence qu'à une épreuve tactique), je sais que le temps donnera tort à mes parents ; que j'ai *raison*).

*2000*    Malgré mes supplications répétées, mon père klaxonne chaque jour devant le collège en venant me chercher. Il est garé de travers sur le trottoir. Il dit : « Tu as honte de quoi ? D'avoir un père ? »

*2001*   Quelques mois après la déflagration de ma sexualité, mon père zappe de chaîne en chaîne à côté de moi sur le canapé du salon, et tombe sur un épisode de l'émission « Culture Pub : Spéciale Gays ». Il éteint le poste et monte dans sa chambre : « On en a assez eu comme ça. »

*2004*   J'habite seul pour la première fois. Je dis à un ami : « L'idée de chercher à coucher pour coucher me dépasse. Le sexe, c'est d'abord un échange de sentiments. »

*2013*   En pleine écriture, recensant mes goûts littéraires et mes univers de prédilection, je me demande si je ne suis pas pédophile, de la même façon que je fus homosexuel un jour, sans le voir ni l'accepter (Glamour dit : « On n'est pas responsable de ses fantasmes »). Je dégote sur Internet des images interdites, pour *me tester*. J'en regarde une, puis deux — et j'arrête. Je n'aime pas ça. J'éprouve une forme de soulagement : le sexe dans l'enfance me plaît en tant qu'objet esthétique, parce qu'il est à la fois tout ce que nous sommes, et tout ce que nous ne sommes pas.

*2013*   Leur âge raconte le début d'une histoire que le mien dissout instantanément. C'est devenir leur amoureux, leur meilleur ami *au même âge* qui m'attire. Pas maintenant (plus maintenant).

On aperçoit souvent sur les affiches du métro parisien trois petits hommes dessinés au stylo bille, qui ressemblent aux Rois mages. Le trait est toujours identique. Quelqu'un, depuis des années, dessine des Rois mages sous les rues de Paris. Un soir que je rentre chez moi, après l'avoir si souvent imaginé, j'aperçois sur le quai d'en face *le dessinateur des Rois mages*. C'est un homme d'une trentaine d'années, l'air bohème, habillé sans éclat, le visage pâle. L'instant suivant, trois contrôleurs de la RATP l'interpellent. Ils lui demandent ses papiers : l'homme n'est pas français (ou fait mine de ne pas l'être). Les agents appliquent le règlement. Ils ont saisi un délinquant. L'un des contrôleurs est une femme. Elle s'adresse au dessinateur comme à un demeuré : *Vous savez Monsieur qu'il est interdit d'écrire sur les espaces publics de la RATP?* L'homme ne dit rien, il ânonne quelques mots slaves, affichant le sourire que se partagent les illuminés et les malins. Un agent dit : « On va vous demander de nous suivre. » Mon métro arrive à quai. Abandonnant l'arrestation du dessinateur de Rois mages, suivant des yeux sa confusion, je me figure tout à coup que c'est exactement *ça*, l'histoire de ma sexualité : *comprendre sans comprendre.*

★

Au téléphone, Glamour est sur le point de pleurer : « Quand j'ai rencontré Édouard, je croyais que ça allait marcher, je ne me suis pas dit : *Génial, encore une relation qui court à l'échec.* »

★

Mon livre est terminé. Je prends le train pour Lyon. Comme une justification, j'aperçois dans la vitre, passant sous un tunnel, le reflet d'un écran. C'est l'ordinateur portable du passager devant moi. L'homme en costume a une cinquantaine d'années, les yeux précis, des cheveux gris — et passera son trajet à compulser des vidéos de femmes ligotées, pincées, fouettées, souffrant avec volupté sur des brancards. Cela implique beaucoup de cuir. Au moment d'entrer en gare, l'homme ferme toutes les fenêtres vidéo de son écran et rouvre un document sur lequel il travaillait. Il tape une phrase : *Le protocole neurophysiologique est satisfaisant chez 87 % des patients.*

★

J'annonce le point final de ce texte par téléphone à mes parents, avec la petite mauvaise conscience du chat qui se laisse caresser quand il vient de griffer les rideaux à l'étage.

359

★

Mon éditeur, à qui j'avais fait part, au tout début, de mes appréhensions concernant ce *projet de livre*, me conseille d'*écrire un roman* : « On colle *roman* en dessous du titre, et tout le monde est tranquille. »

★

Bord Cadre : « Parfois je me dis que ça ne sert à rien de faire autre chose dans la vie que de comprendre les réactions humaines. »

★

Le poète se penche à mon oreille : « Yourcenar a dit quelque chose comme : *Imaginez le visage que vous aviez avant que vos parents ne se rencontrent.* » Il marque une pause. Puis : « Ce qui est exceptionnel, c'est d'être ici. »

★

**63.** C'est récent. C'est le livre qui vit. Je me fâche avec ma mère, nous nous lançons des mots bêtes. Nous nous séparons sur un quai de la gare Saint-Lazare avec le poids d'une rancœur. Je reçois à minuit un SMS qui arrive en trois fois, parce que son texte est trop long pour être contenu dans un seul message.

J'ai été hantée , si tu veux savoir , pendant des années , me reprochant mon incompréhension initiale , mon manque de discernement , mon égoïsme vis a vis de toi , j'ai imaginé mille fois ce que tu avais du ressentir , j'ai lu tout ce que je trouvais sur le sujet, écumé internet ,et beaucoup pleuré... Avant ton "coming out" , j'étais tombée par hasard sur des sites hard et pédophiles qui arrivaient tout seuls sur l ordinateur , qui m'avaient horrifiée , j ai cru que ton prof de théâtre t avait entraîné , je m'en suis voulu et men veux encore de n'avoir pas été à la hauteur... De n'avoir pas compris

Et dire que pendant des années , j'ai manipulé des vases peints, étudié des dessins et gravures grecs, me suis plongée dans ces mises en scène antiques incontestablement gay , pleines de jeunes hommes, sans rien voir... ou au contraire dans des

361

scènes de maternité, car je ne me suis jamais intéressée à aucune autre femme que les mères dans mes recherches... comme dans ma vie d'ailleurs.

je n'ai eu qu'en tête , pendant des années , ton courage et ta dignité alors que je ( et pas nous , car nous n'avons pas eu les mêmes réactions avec papa) n'étais pas là , comme tu le pensais ... j'avais le sentiment de t'avoir toujours dit que je t'aimais et très vite de t'avoir dit que s'il fallait choisir , c'était toi "l'homme de ma vie ... Tu l as oublié ?

J'ai voulu tout dire, pour qu'il ne reste que les secrets.

*Composition CMB Graphic.*
*Achevé d'imprimer*
*sur Roto-Page*
*par l'Imprimerie Floch*
*à Mayenne, le 12 décembre 2013.*
*Dépôt légal : décembre 2013.*
*Numéro d'imprimeur : 86040.*

ISBN 978-2-07-014398-6 / Imprimé en France.

261999